PALLIETER

FELIX TIMMERMANS

PALLIETER

Vierendertigste druk
Oorspronkelijke uitgave

1975, P.N. VAN KAMPEN & ZOON, AMSTERDAM
STANDAARD UITGEVERIJ, ANTWERPEN

© NV Scriptoria, Antwerpen, 1975

Verantwoordelijke uitgever: PN Van Kampen & Zoon, Singel 330, Amsterdam.

Niets uit deze uitgave mag worden verveelvoudigd en/of openbaar gemaakt door middel van druk, fotocopie, microfilm of op welke wijze ook, zonder voorafgaande schriftelijke toestemming van de uitgever.
No part of this book may be reproduced in any form by print, photoprint, microfilm or any other means without written permission from the publisher.

ISBN   90 60 91019 2

EEN FIJNE MORGEND IN DE MEI

In die eerste Lieve Vrouwkensdagen was de lente ziek. De zon bleef weg en klaterde maar van tijd tot tijd, zo door een wolkenholleken, een bussel licht op de gele boterbloemen. Het verse groen dat zij langs alle kanten geweldig uit den grond, de bomen en het water had gezogen, zat er ongeduldig naar te wachten.

Pallieter zei, met een scheven mond van bitterheid:

''t Spel is nor de knoppe!...'

Maar in den avond van dezen dag was de volle maan, rood lijk een blozenden appel, uit de wolken gebroken en een dunne nevel was lijk een fijn gaas op de Nethe en de beemden komen staan. Zie, als Pallieter dat zag maakte hij met speeksel zijn wijsvinger nat, stak hem in de lucht en als hij voelde dat zijn vinger koel werd langs den zuiderkant, schoot hij in een luiden lach, rolde spertelend in het gers en zong in den stillen avond dat het klonk tot over de Nethe:

'Die mi morghen wecken sal
dat salder wesen die nachtigal

>   die nachtigale soete;
>   ick wille dan gaen in genen dal
>   die suvere bloemen groeten...'

Morgen was het opnieuw zonlicht!

Hij kon er moeilijk van slapen en had bijna den helen nacht, met het venster wagenwijd open, wakker gelegen. Hij hield den wolkbrekenden hemel in 't oog, die na lang wachten gezuiverd was en fijn blauw bleef, bedrest met bleke sterren en gevuld met klaren maneschijn.

En in die stille, nieuwe heerlijkheid, waarin de dauw zoel neerzeeg, speelde omhoog het perelende lied van een jongen nachtegaal. Pallieter rilde. En hij dacht aan de zon, die nu nog ver achter de wereld zat, ievers bij de Moorkens en de Chinezen. Morgen zou ze opnieuw het zoete Netheland beschijnen en ze zou de bomen en planten van geweld doen spreken en klappen, de bloemen doen breken van reuken, de bossen doen denderen van 't danig vogelegefluit en hemzelf, Pallieter, een voet doen groter worden. En hij sloeg van veel te grote blijdschap zijn benen naar omhoog dat de lakens van het bed vlogen. Hij dekte zich weer onder en sliep met een lach op zijn mond.

Als er in het oosten een klaarte bibberde en er een haan had gekraaid, wipte Pallieter uit zijn bed, trok zijn hemd uit en liep in zijnen bloten flikker naar de Nethe. Over den grond en tussen de hoge bomen hing een grijze smoor. Het was heel stil, het gers woog zwaar van den koelen dauw en van de bomen vielen grote lekken.

Pallieter liep en sprong zo maar rats het hoge water in, duikelde naar onder en kwam weer blinkend van water en geluk, naar asem scheppend, in het midden boven. De waterkoelte deed het bloed in zijn lijf opspringen, het deed hem deugd, en hij lachte.

Hij zwom tegen tij in, liet zich op zijn rug drijven, duikelde, zwom op zijn hondekes, draaide en spertelde en stampte met armen en benen, dat het water sloeg en klotste en 't lis en 't jonge riet deed buigen en wiegen.

Allengskensaan met het vergroten van het licht waren de nevels dikker en witter gegroeid en hadden ze onvoorziens heel het land ingewikkeld. Fijn vogelegefluit regende nu uit de onzichtbare bomen, en de nieuwgemaakte bloemreuken dreven met heelder kladden door den mist.

En ginder over de Nethe was de grote, tomatrode zon als een lustige verrassing uit al die witheid opengebloeid.

Pallieter was er van aangedaan en riep:

"'t Weurdt fiest vandaag! 't weurdt fiest vandaag!'

En hij dreste duizend druppels in de lucht.

Dan duikelde hij nog eens onder, als om de ziel van het water mee te nemen en liep dan blinkend, roos als een roos in de witte nevelen naar de Reinaert en hij zong:

> 'Zo dee Adam —
> Zo dee Adam —
> Zo dee Adams zonen.
> Adam had zeve zone,
> zeve zonen had Adam.'

Hij was nog maar enige minuten op zijn slaapkamer als het klare Begijnhofklokske door de witte landen galmde, en hij Charlot haastig van het trapken hoorde gaan. Charlot bleef op haar kamer tot zij Pallieter op de zijne hoorde, want eens had zij hem in zijn geboortekleed zien weerkomen, en was, met een kres en de armen omhoog, terug naar binnen gelopen. Dat mocht nooit meer gebeuren, liever nog de mis te laat komen of ze niet horen, dan op Gods wegen een mens te moeten zien zoals hij uit de handen van God zelf gekomen is!

Als Pallieter gekleed was, ging hij naar beneden, stak de Mechelse stoof aan, zette de geel-koperen moor op het vuur en maalde koffie. Als het water begon te zingen, te grollen en te stuiven schonk hij door. O, de aangename koffiereuk, die een mens zijn hart doet bekomen! Hij vulde rijkelijk de heldere lentekamer en Pallieter stond hem genietend op te snuffelen lijk een hond.

Buiten kleerde het op. Een zonnestraal kroop schuins het open venster door en rinkelde schitterend op de geel-koperen marmittekes en op het gulden bepapegaaid, brokaten manteltje van een wassen Lievevrouwken.

Pallieter stak met de gauwte zijn vinger in die lichtklad en zei: 'Heunink heèd er ni on...'

Hij sneed boterhammen, veegde er, 'nen halven pink dik, zute boter over en haalde uit den kelder een volle schotel verse, hagelwitte plattekees.

En in den hof die nog nat was van dauw en besprongen werd met plekken zon, ging hij radeskens plukken — Loebas met zijn vier jong schoten uit hun vat en sprongen hem bassend rond de benen. Hij gaf hun elk een stuksken suiker en dan liepen zij lijk zot over den natten blijk. Terwijl hij radeskens waste, kwam Petrus, de ooievaar, met een zilveren vis in den roden bek naar zijn nest gevlogen, waar zijn wijf met eieren lag.

Als alles gereed was voor het eten ging hij in d'achterdeur staan en keek over het land dat opkleerde in de zon. Was dat geen deugdelijk oog- en neus- en orenfeest, die lichtgroene, geurende verte met de blinkende waters van de Nethe erdoor, en met koekoek-, haan- en vogelenstem er in? Zeg?...

Pallieter zette ook de voordeur open, zodat er seffens een frisse wind door de gang stroomde, en hij langs twee kanten de nieuwverlichte wereld zag.

Langs dáár die verte van beemden en velden met blauwe bossen en windmolens aan den horizon, en langs de vóórdeur de rijkelijke vest, het Begijnhof, en, achter bloeiende hofkens en hobbelige huizendaken, de gele Sint-Gommarustoren die juist een dripselend rap kwartierken uitrammelde.

De heldere klokkeklanken waren als de blijde tong van het land.

"'t Duurt ni lank genoeg!' zei Pallieter, en hij greep het klokzeel in de gang en begon er zo heftig aan te trekken dat de klok in het torentje bijna geen tijd had om omhoog en omleeg te gaan, en de machtige galm bolde gonzend over de wijde morgenlanden. Hij trok maar, trok, alsof het tot aan 't uiteinde van de wereld moest gehoord worden. En hij zag lachend over end' weer naar 't Begijnhof en de beemden.

Nadatum hees hij, ter ere van het goede weer, in het voorhofken een groot wit vlag, waarin de wind klapperde en de zon speelde.

Het was verschietelijk den overvloed van het machtig vogelegefluit en getjirp in de brede vestebomen na te horen.

En ginder, met den vrede op haar gezicht, kwam Charlot terug van de mis met drie kerkboeken onder den arm. Als Pallieter haar zag, zong hij haar:

'Zeg, kwezelke, wilde gij danse?...'
'Het zal e schoe weer weurre, Bruur!'
'Een heilig weer wor de kwezels in misstaan!'
'Ik ben gin kwezel!'
'Dor zadde te vet veur! Woroem ette ni wa minder?...'
'Daaroem!' zei ze kwaadweg. Ze ging naar de keuken haar kleed uitdoen, en kwam terug in de lentekamer in een blauwbaaien rok en een rood slaaplijf, waaruit haar dikke armen spannend en blinkendvet uitkwabberden.

En zij dronken koffie, smeerden de plattekees twee vingeren dik op de lange boterhammen, dopten de ramenetsriekende radeskes in de kees en in het zout, en smakten en klakten lijk twee zuigende kinderen.

En al etend zag Pallieter altijd maar aaneen naar den veldbuik waarboven de zon opklom. Er was daar reeds veel leven en beweging van werkende boeren. De rode wieken van den molen draaiden in den frissen wind die de nevelen had weggevaagd en een witte ronde ballonwolk door het blauw van den hemel zond; en de reuk der witte en purpere kruidnagelen, van voor het venster, wandelde over de tafel heen.

Pallieter dronk het laatste eten in de maag, en riep armenzwaaiend, terwijl Charlot met neergeslagen ogen een vaderonsken bad: 'O Heer, mijn billen worden licht als strooi en omhoogwillend lijk sprinkhanen. Het is, o Heer, alsof Gij in mijn buik een orgeltje hebt geplaatst!'

Hij ging buiten, opende duiven- en hoenderkoten en strooide handsvollen kempzaad, Spaanse terwe, rijst, vitsel, haver en koren. En 't was ineens een geharrewar, gekakel en geslaag van vleugelen. Er waren zwalpers, smieren, hennen, hanen, ganzen, kalkoenen en een overschone pauw.

Ze grabbelden met hun rappe bekken gulzig naar het eten, drongen tegen elkander, liepen ondereen en pikten naar de mussen die met grote kladden in den warrelenden hoop neervielen.

Wat was het toch schoon, in die zilveren zon die glimmende krobben, waarop bruin, groen, blauw en rood goud weg en weer danste, die witte, ros en grijze stippeling der kloeke vleugelen, de rode en gele bekken en poten, de bloedrode kammen en de sterkgebouwde en lenige steerten vol wemelende koleuren lijk in de schelpen van de zee.

Pallieter aanzag het met halfopen ogen en zei: 'Rubes bleft er af!...'

Als de beste graantjes opgepikt waren ging elk der dieren naar zijn kant, naar den mesthoop, den stal of den blijk. De duiven vlogen in klapperende kladden de fijne morgenvelden in en de pauw wandelde met voorzichtige poten fier in de weggeskes van den riekenden hof en ontvouwde als een nooitgedroomde koleurenweelde zijn breden staart uiteen.

Pallieter zag bewogen hoe schoon hij daar stond in het doorzichtige groen, onder de witte kerse- en perelaars en de roze pruimebomen, en hoe de zon dat zo rijk en kostelijk maakte alsof het een schoongelogen vertelsel was.

En daar vloog hij ineens op en zette zich in het hoogst

van den bloeienden appelboom. Daar viel zijn staart als een groene vlam over de rozige witte bloemenscheden en hij scheurde driemaal met zijn lelijken, rauwen kreet de stille lucht vaneen.

Pallieter draaide de waterkraan open, en ineens spoot er uit het blauwe vijvertje, waarin rode goudvissen wiegden, een klaterend fonteintje omhoog. Dan stopte hij zijn pijp, en haalde uit den stal den geweldigen geitebok. Deze was pekzwart met een blauwe glans erover, droeg gele hoornen en had twee grote lichtgrijze ogen. Zijn naam was Lucifer.

Als het beest buitenkwam, snoof het een stond de frisse buitenlucht op en wilde dan met zijwippen vooruit, maar Pallieter greep hem bij de horens, sloeg zijn benen scherlings over den hogen rug, stak zijn pijp aan, en reed dan, gemakkelijk gezeten op Lucifer, die den kop onstuimig vooroverboog, den hof door. Pallieter klapte in zijn handen, en daar kwamen de vijf honden aangebast en liepen met lange poten dol vooruit. Lucifer droeg Pallieter door het achterpoortje dat op de Nethe uitgaf, en volgde dan den slingerenden waterdijk.

Langs alle kanten opende zich nu in nieuwe heerlijkheid het wijde, zonnige, meigroene land dat heel in de verte in zilveren misten verblauwde. Dat haalde de ziel omhoog. Het was overal een bonte verschilligheid van bruin en groen, waartussen hier en daar het felle geel der rapenbloemplekken geweldig kwam losschetteren. De weiden wiegden hun gers onder een witten wind en de Nethe schoof er blinkend haar rappe, koele wateren door.

De lucht, van alle kanten doorregen met vogelengetjirp, was vol aangename reuken, en de bomen op den Nethedijk stonden daar helder en vrolijkklaterend als waren ze vers uit den grond gerezen. Op de brede smeerwortel-blaren langs den dijk lagen nog dikke dauwdroppelen te stralen en te blinken lijk echte diamant; Pallieter plukte al rijdend zo een blad af, bracht het aan de lippen en liet de koele druppelen in zijn mond rollen.

"'t Is goe, en smokt nor den hemel,' zei hij.

Langs alle kanten lag de gewillige aarde weer heel haren rijken schat te geven, bloemen, planten, erwten, peekens en allerhande vruchten; en allerhand gediert dat ontpopte terwijl andere koppelden, en de lucht rook naar honing, en een spuitende beerkar doordrenkte den grond. Dàt is het leven: altijd maar geven en koppelen, en 't een heeft 't nog geen dag gezien of het andere wordt reeds gemaakt. Zo gaat het altijd voort en altijd rond, het ene maakt plaats voor het ander, en staat ge nu met uw tien geboden in het haar of op uwen vinger te zuigen, de 'waarom' komt ge toch niet te weten.

'Mor da's niks,' zei Pallieter, ''t is schoen, en lot er ons de sijs van aflakke...' en met den smaak van appelkokken en kersen in den mond zag hij naar de wit- en roosbebloemde bomen die de hoeven verborgen. Het deugdwater liep over zijn hert.

Soms galmde het lied van een jongen boer, en het gehinnik van een wit of bruin paard. Een ploeg blonk en op de Nethe trok een visser zijn net omhoog waarin zilveren vis spartelde. Een zwaluw scheerde van den enen dijk naar den andere, de honden stoeiden door de beemden, sprongen over grachten en rolden ondereen in het fluwelig gers waarvan zij onder 't lopen de tippekens beten. Hun geblaf vulde de lucht, hanen kraaiden, bijen bromden, en in den blauwen hemel stond een lenige pluim van kleine witte wolkskens.

En Pallieter zei: 'Nu is het leve zot lak'n hiet maagdeke.' En hij was geroerd door dit fel, heropbeurend leven en haalde een ebbenhouten fluit uit den zak en begon er een blij lieken op te spelen dat klaar over de velden trippelde. Het was alsof het de lente was die zong.

Pallieter was danig blij, greep al rijdend een handvol zurkel die hij uitzoog, speelde weer een lieken en zó kwamen zij aan het Hofken van Ringen. Het was een oud, Vlaams kasteeltje in roden kareel met witte banden, met een steks schaliëndak en een fijn torentje, oprecht gemaakt om den regen een schone, zingende vloeilijn te geven. Er lag een brede groene vijver rond met nenufars en dicht riet, en daarachter lag een hof van hoge bomen waarin veel vogels leefden. Het stond daar als met den grond vergroeid, als 'n bloem geboren uit al de schoonheden en de wilde krachten en elementen der Vlaamse natuur. Pallieter stapte hier van den bok die met zotte sprongen door de beemden wipte, hij zocht het malste groen en dronk zijn dorst af aan de klare slootjes. Pallieter lei zich op den dijk den zotten wellust van den mei te bezien. Wat later ging hij madelieven en boterbloemen plukken om Charlot blij te maken.

Als hij zijn armen vol had, riep hij de honden en Lucifer en begon te lopen zo hard hij kon. Dat was een spel! Loebas schoot een eind vooruit, de bok huppelde nevens Pallieter en de jonge honden kwamen achteraan. Er werd over grachtjes en slootjes gesprongen, en soms plonsde een der jongen bij verrassing er middenin. Er werd gelopen, getuimeld en gerold tot men aan den Reinaert kwam.

En, achterwaarts gezeten op Lucifer, de armen vol bloemen, reed Pallieter met een lachend gezicht den geurenden hof binnen.

'Ha!' riep Charlot als hij haar de bloemen gaf. 'Die gon ik veur ons Luverijke lotte rieke, 'k zal ze straks in foskes zette...' In afwachting stak ze den overgroten tuil in een koperen melkstoop, en 't was om af te schilderen.

'Mor zeg is,' zei ze met verheuging in de stem, 'manhier Pastoer heèd hier gewest en heè kome zegge dagge veur e zondag twie eirebroeë mier zult moete bakke, want er kome drij kozentjes bloetevoetpaters van Dendermonde hem bezuuke, en ze zulle mè twie broeë ni genoeg hemme.'

'Ja,' zei Pallieter, 'de vasten is wer uit, en tege dat hem oeptenieft begint zien ze zoe vet als slakskes, dat ze ni mier kunne. O, Sinte Franciscus, die scheel zaagt van den honger...'

Charlot grommelde iets in haar eigen, en Pallieter ging malen naar zijn meuleke. Het stond tenden den hof op een hoog groen heuveltje, zodat er langs alle kanten wind op botsen kwam. Tybaert kwam met opgeheven staart langs zijn benen fleren om te mogen meegaan, en met een wip zat hij ievers tussen het houtwerk van de witbestoven molenkamer te loeren achter muizen.

De zak terwe was bijna leeg, maar 't geen er was schudde hij in den bak. Strakskens zou hij om ander gaan. Hij keerde het molenkraam tegen wind in, liet de wieken los die lustig begonnen te draaien; de stenen wentelden en 't graan maalde kapot. Hij stak zijn kop door 't kijkgat en overkeek van uit de hoogte 't land. Hij ontstak zijn pijp, en de blauwe smoor wapperde als 'n fijne struisvogelepluim in de gezonde lucht en het molentje tiktakte en kraakte in den wind. Hoe geweldig in de nieuwe zomerklaarte zag men alles bijderogen groeien! Er zat in het groen als een haast om den verloren tijd in te winnen.

En als Pallieter dat zag, hoe alles de belofte van veel fruit en duizend zoetigheden bijhad, dan zei hij:

'Wie zij er wille steurreve!... En hij zong:

>'De Winter is verganghen,
>ic sie des meien schijn,
>ic sie die bloemckens hanghen,
>dies is mijn hert verblijt;
>zoo ver in genen dale
>daer is 't genoeghlijck sijn,
>daer singet die nachtighaele,
>voor mijn soet lieveckyn.'

Als hij het tweede koeplet meende te beginnen riep Charlot verblijd:

'Bruur, manhier Pastoer zit oep ij te wachte, en ha heè ginnen tijt, zeèt-hem.'

'Zegt dat hem mor oep manne meule komt!'

'Watte? denkte ga' da' manhier de Pastoer me zan goeie soutane on, zan eigen in oeve meule go smerig make?...'

'Charlot, 't is beter 'ne zak bloem op 'n zwette soutaan, dan 'ne vliegescheet oep â ziel!'

Maar zie, daar kwam de pastoor van 't Begijnhof. Het was een kleine oude vent, met een goedig gezicht en een eierenkop met witte haren rond. Hij bood hun een snuifken.

'Wa peisde van de zon, Pallieter?'

'Da ze de kreem is van 't leve!...'

'Ze rapst man keel droeg.'

'En zoe vint 'ne mens tog altij 'n reden oem zan eige deugd te doen. Kom, we gonter ientje pakke.'

Ze gingen in de lentekamer, waar Pallieter een stoop kaves en een beschimmelde fles wijn ophaalde. De pastoor dronk den roden wijn en Pallieter het bruine bier. De zon speelde in het bier en in den wijn en lei er warme, klare lichten in.

'Apropos Pallieter,' zei de pastoor, 'Charlot heèd oe worschijnlak al gesproke van die twie eirebroeë?'

'As z'had moete steurreve, ze zij leèfdig geweurre zijn oem het te kunne zegge, want gelle verstaat toch de kunst de wijve rond ellen duim te winne! 'k Wilde dakket oek kost...'

'Wel, er is niks zoe gemakkelak: weurd oek pastoer!...'

Pallieter pinkte, schonk een verse pint die hij eens even voor de zon hield en dan smakkend uitklokte, zodat hij naar asem moest snakken, en hij zei:

'Hierin leeft de ziel der aarde, lot z'in ma lichom kome!' En hij dronk een andere pint.

'Zie, zie! da land!...' riep Pallieter, wijzend naar den veldbuik, 'ik zij oe wille kusse van plizier, kom, lot ons danse!...' En hij pakte den pastoor zijn handen, draaide hem mee rond en zong:

"t Is vandaag Magritjesfiest
lot ons viere, lot ons viere!
't Is vandaag Magritjesfiest
lot ons vieren oemtermiest!'

'Ta, ta, ta,' zei de pastoor lachend, "k hem ginnen tijd, 'k mut nog breviere.'

En Pallieter liet hem gaan, maar riep nog:

'Ik zal oe strak wa rijpe jeèrbeze lotte brenge!...'

'Goe,' riep de pastoor terug, "k hem er dezen nacht justekes van gedroemd!'

En weg ging de grijze pastoor, wandelend over de Begijnenvest. Hij opende zijn kerkboek en begon erin te lezen. Kladden zon schoven grillig door de hoge bomen op zijn zwarte soutane en zijn glimmenden tikkenhaan, en deden soms schitteren de gouden snede van zijn brevier.

Pallieter, als hij dat zag, kreeg goesting om het goede weer te psalmeren.

Hij lei den ouden verluchten bijbel open op zijn armen, zette zich vóór het raam, en las luidop:

'Welgelukzalig is hij denwelken Gij uitverkoren hebt en doet naderen; in uwe voorhoven zal hij wonen; wij zullen verzadigd worden met de goedheid van uw huis en met de heiligheid van uw paleis...

Gij bezoekt het land en, hebbende het begerig gemaakt, verrijkt Gij het grotelijks; de rivier Gods is vol water; wanneer Gij het alzo bereid hebt, maakt Gij hunlieden koren gereed.

Gij maakt de omgeploegde aarde dronken; Gij doet ze dalen in hare voren; Gij maakt ze week door de regendroppelen en zegent haar uitspruitsel dat zich zal verblijden, Gij gebenedijt de Krone uws Jaars van uwe goedertierenheden en uwe voeten druppen van vettigheid; zij bedruppelen met vruchtbaarheid de weiden der woestijnen en de heuvelen zijn omvangen van verheuging.

De velden zijn bekleed met kudden en de dalen zijn bedekt met koren; zij zullen roepen en uwen lofzang zeggen...

O God, die zich omvangt met het Licht als met een kleed, die den hemel maakt als een gordijn, die zijne opperzalen zoldert in de wateren, die van de wolken zijn wagen maakt en wandelt op de vederen der winden... Die de fonteinen uitzendt in de valleien, dat zij tussen de bergen zullen wandelen. Alle beesten des velds zullen er aan drinken en de wilde ezelen zullen er hunnen dorst mede laven...

Aan hunne boorden zullen de vogelen des hemels leven en van uit de steenrotsen zal hun gezang weerklinken. Hij ververst de bergen en zet het land vol allerhande vruchten, voortbrengende gras voor de beesten en kruid tot den dienst der mensen, doende het brood uit de aarde voortkomen, dat het hart des mensen versterkt, alsmede den wijn die het hart des mensen verheugt, doende het aangezicht blinken van olie...

De bomen des velds verheugen zich en ook de ceders van den Libanon. Daarin zullen de mussen hunne nesten bouwen en de ooievaars wonen. De hoge bergen zijn voor de herten en de steenrotsen voor de kornijntjes...

Ik zal den Heer zingen, lof zingen zolang als ik ben!...'

Pallieter sloeg het boek toe.

Hij had onder het lezen goesting naar den smaak van honing gekregen, en hij at hem op een donkerbruin beschuitje.

Wat was het toch een goed weer! Twee kinderen, een in 't rood en een in 't wit, plukten bloemen in het peerdenbeemdeken; twee begijntjes wandelden nevenseen op den Nethedijk en lazen hardop overentweer hunnen paternoster af, en de drie oude, blinde venten, die in 't godshuis op 't Begijnhof woonden, zaten nevenseen in het gers te lachen.

Er vlogen duiven en een kwiksteert en Pallieter voelde zijn hert van aandoening smilten tot een zoete zalf en hij zei, gelijk ons Lievevrouwke:

'Mijn ziel verheft den Heer!...'

En hij stak vóór haar wassen beeldeke een keerseken aan en zei:

'As da schoe weer ij schuld is, dan heddet verdind.'

Hij ging voortmalen, tot Charlot om eten riep.

Zij diende eerst kervelsoep met aspergiën. Daarvan aten ze elk twee telloren. Nadatum kwam er een varkensgebraad op met spinazie en bloemende patatten, die 'ne smaak en 'ne weersmaak hadden. Er was veel mostaard bij, om goed te kunnen drinken. Nadien smulden zij elk een half dozijntje koekebakjes die naar eieren en kaneel roken, en zij smeerden er nog boter, siroop en suiker over. En om 'nen anderen mond te hebben, aten ze 'n schotel schone eerdbeziën leeg, zodat het rode sap van hun kin druppelde.

Het zweet stond op hun voorhoofd en Pallieter zei:

'O God! 't pleizier is werral gedaan, geft er ons nog!...'

HET TWEEGEVECHT

Na het eten smoorde Pallieter een pijp, wandelde enigen tijd in den hof om zijn eten te doen zakken, en gaf pieren aan de goudvissen.

En dan reed hij op het blauw hondekarretje naar den meulder van over de Nethe om een zak graan en een halve zak terwe.

Die meulder was de vader van Fransoo, den landschapschilder, Pallieters besten vriend.

Loebas baste van vreugd, en liep met korte, rappe stapkens. Zij rolden over de tempelachtige Begijnenvest en een endeke door het zuivere stadje, dat op dit uur vol zonneschijn en stilte lag, met het geklang van twee kasseiers.

Als zij op den bleken steenweg kwamen, die met ronde bochten door de schone velden draaide, dan verlengde Loebas zijn voorste poten, en liep zo hevig dat het karretje er op zij van slingerde, en knetste en bonkte op de bulten der kasseien.

Pallieter, daar op zijn hukken ingezeten, had er danig plezier van en kletste met de zweep, dat het helder ver klonk over de geruste middagvelden.

Er vlogen duiven, en er groeiden veel madeliefkens in het jonge gers der beken. Het rook er naar boter...

Als de zakken betaald en geladen waren, riep Pallieter naar Fransoo, die boven in den houten molen zijn schilderkamer had. Uit het ronde vensterken kwam er seffens een rode, vette kop, die lachend riep 'Ik koom!'

Beiden gingen in "t Plakleerken' een glas bier drinken.

Fransoo was in zijn hemdsmouwen, die tot boven de ellebogen opgerold waren, en zijn dikke blote armen waren vol verfkladden, tot zelfs op zijn neus was een blauwe vlek.

"t Plakleerken' was een oude afspanning, aan den voet van den meulenberg. Twaalf platte linden belommerden nevenseen de lange witte gevel. In de koelte van die bomen zat de jonge graaf van Dendersteen met een oude heer een pint te drinken.

Pallieter zette zich met Fransoo daarnevens en bestelde twee pinten dobbele gersten aan de oude deftige bazin, die nog struis was lijk een boom. Zij droeg een kanten kap, een bril en lange gouden bellen. Ze bracht het bier op een tinnen schenkbord, en maar juist had ze zich omgedraaid of ze waren leeg, en Fransoo vroeg er twee met Faro in.

Loebas kreeg een emmer water en lei zich hijgend op den grond. Het was hier waarlijk een schoon gezicht. De velden en weiden zakten langzaam naar de Nethe, en daarover, klaar in de zon, lag 'De Reinaert' van Pallieter, 't Begijnhof en de grote velden.

Fransoo vertelde van zijn vaders peerden en koeien, die ginder lijk witte en bruine paddestoelen in den beemd aan 't grazen waren. Daarna luisterden zij naar den verwaanden graaf, die luid riep, opdat zij het zouden horen, pochte op zijn groot omliggend grondgebied.

'Zuukte nog grond bij te koepe?' vroeg Fransoo.

En de jonge graaf snauwde hem in 't gezicht. 'Daar is niets van gekocht; daar hebben mijn voorouders voor gevochten!'

'Als 't ni mier is!' riep Pallieter, 'willen w' er dan ook is veur vichte?'

De graaf stond op, bezag hem kwaad van kop tot teen en vroeg uitdagend: 'Spot gij met mijn voorgeslacht?'

'En mè ij!' zei Pallieter.

'O mijn eer!' kreet de jonge edelman. 'Ik moet voldoening hebben. Ik daag u uit!' en een zijner geglansde handschoenen in Pallieters lachend gezicht kletsend, siste hij: 'Welke wapens kiest ge?'

'Het kanon,' zei Pallieter ernstig.

'Hoe?... wat?... Hoe wilt ge?...' vroeg de graaf verbluft.

'Zoe!' riep Pallieter, en met een katterapte zette hij den graaf in gebogen houding naar het huis, en vóór deze zich had opgericht, hief Pallieter het rechterbeen op, riep 'Vlam!' en liet een groten wind.

Tafels vielen, pinten braken, en Fransoo viel van het lachen op den grond.

De graaf sprong kressend op als waarlijk getroffen, wilde met zijn karwats Pallieter te lijf, maar Bruur vloog haastig lijk een bieken in zijn hondekarretje, riep 'Dju!' en ginder rolde hij over de kasseien weg, en moest de handen op den buik duwen om van het danig lachen niet open te scheuren.

EEN MEIAVOND

Als Pallieter koffie had gedronken met rubarberspijzenboterhammen, ging hij een stuk van zijnen hof beberen, om er nadien schorsenelen, postelein en bloemkooltjes op te planten. Hij schepte den drek uit het gemak in een beervat dat hij op een kruiwagen naar den omgeschupten grond voerde. Daar zwierde hij hem in brede geuren over den grond dat seffens heel de lucht er naar rook.

Charlot deed de deur toe.

'Die heèt deur wieroek en kèesriet eurre neus bedeurreve...' riep Pallieter haar nog toe.

Als de aarde goed doordrenkt was, wreef hij verheugd in zijn handen en zei:

'Zoe bestaan ik toch veur iets: wat de natuur ma' geft, geef ik heur vroem. Iet veur iet en niks veur niet.'

Hij waste zijn handen en ging aan de deur een pijp zitten smoren en zag het spel der vele kinderen na. Er kwamen enige mannekens vragen:

'Menhierke, vertelt nog is iet...'

En Pallieter vertelde van de zeven kaboutermannekes en

de put met de gevangene prinses. Zij luisterden de oren van hunnen kop, en daar kwamen maar aaneen toe kinderen bij, die drongen om van vóór te staan.

Als het verken kwam met den langen snuit vroegen ze allen gelijk:

'Vertelt er nog is ien...' en ze noemden ondereen op: 'Van de Waterkleudde, van de Zot nor Rome, van het Zilveren kruiske, het Haantje van den tore' en 'nen helen hoop keldergatvertellingen.

'Neeë, mannekes,' zei Pallieter, 'oep 'nen andere kier.'

Hij wilde opstaan, maar ze sloegen hun armkes rond zijn benen en trokken aan zijn frak.

'Arrè dan!' zei hij en wierp enige koperen centen in den grabbel. Op 'ne weerlicht lagen de kinderen op 'nen hoop te zoeken en te wroeten achter 't geld.

Pallieter ging zijn bootje losmaken om te varen.

Hij roeide tegen tij in tot voorbij het Hofken van Ringen, zodat hij ervan zweette. Daar gekomen liet hij zich tijmee weerom drijven, stak zijn pijp aan, en genoot zo van den zuten avond, die neerkwam op het wijde land.

Het licht van de zakkende zon vloeide lijk goud over de wereld, 't spoelde uit de lucht, dreef over de velden, lekte van de bomen, plakte op de stammen en verguldde de witte koeien en de witte gevelen der huizekes waarvan de ruiten gensterden.

Het water was drijvend goud. Daar was geen wolkske. Vleermuizekes trilden zwart op het verdonkerend blauw, waarin twee sterren schenen en dunne nevelen kwamen op het water, stegen over het lis en de waterbloemen en schoven over den dijk de beemden in, die geurden.

En in die heilige stilte van den avond kwam de gele maan omhoog, en tampte van heel ver het klaar Begijnhofkloksken los.

Toen liep Pallieter zijn hert over. Het was té schoon om te zwijgen, hij moest den diepen vrede, het zute avondgevoel met woorden tot zijn eigen kunnen zeggen. En hij zei:

"'t Pardoent, en op de klokke slaat
Gods Engel in een wolkgewaad.
    Ave Maria!
't Pardoent, en 't vleeschgeworden Woord
bij arme liên te huis behoort.
    Ave Maria!...'

En hij liet zich zo maar voortdrijven door de nevelen en den avondreuk.

Als hij aan kant wilde stappen bleef hij recht in het schuitje staan, luisterend naar een verren herder die toette op zijn horen. En daar was een traan in zijn ogen.

Toen is Pallieter in het porseleinen-lamplicht aan 't lezen gegaan in den ouden perkamenten boek:

'Hoe men uyt de differente planten ende bloemen ende 'alre kruydekens, salfkens ende pappekens ende olijen weet 'te maken voor 't genesen van allerhande brand- ende snij-'wonden ende kwetsuren ende alsook van al de delen des .'menscheliken lichaems.'

Zo wist hij wat hij thans plukken en gereed maken kon om de boeren, de begijntjes en de arme mensen en iedereen te kunnen genezen.

Van tijd tot tijd zag hij eens door het venster naar de maan.

Om half tien deed hij het venster toe, blies de lamp uit en ging naar boven om te slapen.

Charlot was op haar kamer nog half hardop gebeden aan 't zeggen.

Hij stond reeds in zijn hemd en gereed om in 't bed te trappen, maar hij ging nog eens door het venster zien naar buiten waar het vol nevel en maneschijn lag.

De avond was kalm lijk fijn olie.

"'t Is zonde nij te slape,' zei Pallieter, en hij bleef met zijn ellebogen op den vensterrichel geleund in den nacht zitten zien. De meidoorn rook in den lichten nacht als een bedwelming.

Daar floot weer die jonge nachtegaal.

Pallieter beluisterde zijn gezang. Het waren eerst lange, stille trekken, zo fijn als een naald: dan werden het klaardere, brede klanken met een diepe, volle waterslag erin, en ineens brak het klimmend gefluit in rollende broebelingskens uiteen. En de stilte van den nacht die tussen elke herhaling leefde, was als een deel van het aandoenlijk fluiten dat altijd-aan maar schoner en schoner wierd.

Pallieter kreeg er een keuteling van in zijn lijf en de quintessencie van zijn woelige blijdschap moest uitgeklonken worden.

Hij zocht zijn harmonika, zette zich op 'n stoel voor het venster en zó, in zijn koel hemd, speelde hij een machtig lied vol zwaarstappende akkoorden, dressen van hoge noten en gedans van heldere middentonen.

't Wemelde onderen tot een blijde mars, diè vèrweg klonk over de maanbeschenen landen van den geurenden nacht.

En dan eerst trapte hij in zijn bed en deed gerust zijn ogen toe.

DE HOF, EN DE BRIEF VAN CHARLOT

Het smakelijke groen dat de malse mei zo zot uit de bomen had geklopt, was opengevouwen en overdekte nu het aanschijn van de wereld.

De beemden waren één bloem en de reuken van kruidnagel, lis en peterselie wandelden onderen bij nacht en dage door de lucht. 't Was om er bij in slaap te vallen lijk een slang door zoet muziek...

Wie had het in den witten winter kunnen denken, dat er in die kale, harde aarde en die blote, zwarte bomen zulke macht van hartverheugend leven zat bijeengekoekt?

Pallieter zat in den hof het jonge groen te zuiveren. De grond was mals lijk boter en blonk van vettigheid. De zon kwam lijk een warme adem op Pallieter zijn wit hemd, en het deed hem zo'n deugd dat hij er zijnen rug van ronddraaide, en hij zong.

Bij wijlen bleef hij een helen tijd naar de riekende weelde van den hof zitten zien, en hij had nog ogen bij gewild, want er was meer schoonheid dan hij zag.

De bomen waren breed en vol, en 't licht dat rond de

stammen hing was groen lijk maneschijn; er stonden al veel bloemen uit, en witte en rode rozen.

Een dauwdruppel schitterde op een zwarte pensée.

En in dat groene waterlicht speelde 't gefluit van een merel. Hij zat in den bloeienden kastanjelaar, van binnen in de schaduw. In die frisse eenzaamheid haalde hij zijn hert eens deugdelijk op, en 't rilde en 't sleep uit zijn keel een helderklinkend lied. Het klonk lijk in een kerk. Er lag een heiligheid in.

'Dor moet oep gedroenke weurre,' zei Pallieter in zijn eigen, en hij riep met de hand aan den mond: 'Pastoerswijn, Pastoerswijn!' Hij at een handsvol erwten.

Een beetje daarna kwam Charlot met een dikbuikig halveliter kruikske en een fijn kristallen romer. Hij rook aan de pasontkurkte kruik, deed er zijn mond van open en zijn ogen van toe, en schonk in. Een zonnepriem schoot door het glas en verguldde den blonden klaren wijn.

Als Pallieter hem met trage zeupkens had uitgezogen, klopte hij met den duimnagel tegen het kristal en een volle ronde klank sprong in de lucht en singelde zich langzaam uit.

Charlot schonk voor haar ook in, en Pallieter zag dan eerst de inktvlekken op haar rood gezicht.

'Woroem ziede zoe zwert?'

'Wel,' zei Charlot, 'ik ben 'nen brief on't schrijve oem nor de kermis te kome. Mor 'k hem gedoecht,' voegde z'er rap bij, 'van Marieke, ma petekind, oek te verzuke, mag ek?...'

'Als ze goe kan ete,' zei Pallieter, 'lot ze dan mar kome,'k wil da dink ook is zien...'

'Och 't is zoe schoe meske,' zei Charlot vol bewondering, 'en brijf gelak 'nen engel. Ze kan nog gin vlieg kwa doen, lot goe staan on 'ne mens. Als z'er ieste kommune dee...'

'Ja, ja, dat hem 'k al honderd kiere g'hoord,' zei Pallieter, 'zegt da ze mee komt, mè 'ne legen buik en mè 'ne groeten hoenger...'

"k Zal 't zegge,' zei Charlot en ze ging weg. En Pallieter dronk het stoopke leeg.

Hij wilde voortwerken maar daar werd zijn oog op zij getrokken door een vinnig licht. Hij zag op, en 't was een schip met overgroot wit zeil dat heel den hemel besloeg. De zon kletterde er op en de mollige wind deed het zwellen.

Pallieter stond op en leunde over de haag om het beter te zien.

De anijsreuk, die van de hagedoornrozekes in zijnen neus kwam, deed hem het schip vergeten. Maar de jongen, die het roer hield toette ineens op een horen; de klanken droegen ver over het land en vielen, na een kleine stilte, aan den blauwen horizon uiteen.

Het zeil schoof weg en daar had hij vóór zich het verre Netheland vol aangename diepten. Het lag daar, lichtgroen, wijd en klaar van het malse licht dat uit de diepe luchten vloeide. De hemel was van dat zuiver Lievevrouwenblauw, en nevens de aarde schoven hoge gele, vette wolken, van boven wit verlicht, lijk sneeuw. De Nethe was nog dieper blauw, en kalm lijk fijn olie.

De molens draaiden langzaam rond, en de verre huizekens blikten wit en rood.

De overtollige boter-, pis- en peerdebloemen in de weiden waren als levende plassen boter en melk. Een ganzendriehoek in de lucht, en uit het blauwe bos het lachen van een ekster.

'Oh,' zei Pallieter 'er kome nog ballonnekes in tekeurt.'

En wat deed hij, 'den Bruur'? Hij haalde een koffiekom, maakte er met groene zeep en regenwater een zoppeken in, zocht de zuiverste pijp en zette zich weerom aan de haag. Met de pijp blies hij in het water, hard en lang, tot er babbelend een toren van opeengestapelde zeepbellen was uit opgerezen. Hij vatte een van de broze belletjes in zijn pijpekop, blies voorzichtig in den steel en zie een zilveren blaas ontbolde zich uit de pijp. In 't groter worden kwamen er meteen fijne groene, rode, purpele en gouden kleuren in zwemmen, die dooreenliepen, rezen en daalden en in elkaar versmolten. Pallieter stond er van verpaft en zag er zijn eigen beeld, zijn huis en heel het landschap in.

"'t Is precies of da'k man ziel uitblaas,' zei hij.

En als ze twee kinderkoppen groot was, zwaar wegend van de koleuren, loste hij ze met een klein schokje van de pijp en zie, de ijle bel steeg langzaam in de blauwe lucht.

'Wad e schoen dinge, 't is zonde da'k da' ni on man plafon kan hange!'

En hij maakte er nog grotere, kleinere en heel kleine en alle dreven ze, als fier over zichzelve, kalm naar omhoog.

Ze tekenden zich goud, of rood of groen af tegen de hemelblauwte en hongen daar te zweven nog schoner dan de sterren in den nacht.

Er gingen er heel hoog, andere zakten neer op den

grond, barstten kapot tegen een boom, maar de meeste brak de zon vaneen.

Petrus, de ooievaar, stond van op het dak met den bek in de pluimen, peinzend het spel na te zien. Pallieter zag het, en poogde blazen naar den vogel te doen drijven.

Het ging, maar hij liet ze gerust voorbij gaan. Doch een, die hem te dicht bijkwam, – 't was juist een gouden – purpele – sloeg hij met zijn roden bek teniet.

'Bravo Peterus!' riep Pallieter, 'ge kregt strak e stukske vlies!' En hij maakte voort blazen, want hij kreeg niet genoeg van de hemelse verven.

Terwijl hij daar bezig was, kwam er een magere, gele man voorbij, lezend in een dikken boek. Hij was filosoof, theoloog, historicus en natuurvorser.

'Och,' riep Pallieter, die hem kende, 'hoe kunde nij nog nor snie zuke van passeerde jaar, als de zon dor zo schoen te schijnen hangt!'

'De zon gaat mij niet aan,' zei de geleerde. 'Ze schijnt altijd, ik zoek het wereldsysteem.'

'Ge wilt 'ne scheet in e vogelekeveke gevange zette!' zei Pallieter, en kwaad ging de filosoof verder, lezend in zijn dikken boek.

Maar er ging een geritsel en beweeg onder de brede savooienblaren, en daar kwam, geel en zwart, de schildpad onderuit gekropen.

'Ei! Fille,' zei Pallieter, ''k hem oe in twie dage ni mier gezien! Hoe is 't?... Kom is hier.'

Fille, de schildpad, kwam, en Pallieter klopte met zijnen kneukel op haar blinkende schelp. Ze bezag hem. Hij nam ze in zijn armen en met haren drogen harden kop wreef ze heen en weer over zijn kaken.

'Gij goe stoem biestje,' zei Pallieter haar neerzettend, 'hier zie, da's veur ij...' En hij vong met de hand een van de honderd zonvliegen, die op de fijne lucht hingen te brommen, en stak ze in de schildpad haren bek. Daar luidde het noeneklokske zilver gonzend uit het Begijnhoftoreken en Charlot kwam uit de keuken, roepend met blijdschap:

'Hij is af!... ik zal hem is veurlèze!...'

Ze zette zich vóór Pallieter, die, op zijn knieën gezeten, luisterde. Een veeg zon schoof over haar rood slaaplijf en haren blauwen voorschoot. Een inktplak liep van haren

neus naar de onderste lip, en er bibberde één zonneke op
haar linkeroog, dat ze daarom toedeed. En alzo las ze van
het wit papier:

'Beste Nonkel Hanrie.

'Ik neem de pen in de hant oem oe den staat van mijn ge-
'zondheit te late wete en ik hoop van ellen hetzelfde. 't Is e
'zondag acht dage kerremis en onze menhier Pallieter zij
'gèren emme dagge nor de fiest kwaamt lak passeerde jaar
'oem te smullen en te smere. Hij hei gezeit dagget on man
'hiel famille mor moet zegge, want anders mut ekik te veul
'brieve schrijve. Komt mor met de vapeur, oem 't zelfden
'uur as passeerde jaar. Onzen baas zal mè kar en peerd on
'de stasie staan oem de wijven oep te luie; de mannemense
'moette mor te voet gaan. De smet van on de Nethe zal e
joenk vèrke doet doen oem oep t'ete, want gelak ge wet,
'onzen baas doe gin bieste doet, nog ginne pier. Da kan em
'ni over zan hert krijge, zeètem, mor a et ze toch oep. Hij
'wilt zelf gin biesten in huis hijve, en ik zij geren ne ka-
'neurrevogel hemme, mor a wilt er vor den duvel ni van
'wete. Ze moete vliege, zeètem. Ik hem al e schoe keveke
gekocht van vier frank, mor onzen baas zeè van er mor nen
'blekken kaneurrevogel in te zette. De joenge patatten en
'd'eèrte zullen er in abondanse zijn en oek de jeèrbeze.
'De meid van den pastoer van 't Begijnhof heèd e nief
'medikement verzonne oem appelkokketoerte te make. Ik
'zal er zoe is ien make. In ie woort, dor zal niks te keurt

'zijn. Mor leusterd: onzen baas heè gezeè dagge ma pete-
'kind Marieke sito, sito mut meebrenge, want dattem an-
'ders oep zanne poet zal spele. Ik geloef da 'k nij niks ni
'mier te zeggen hem, dan veul komplemente on Marieke en
'da'ze goe veur mij mut leze. In d' hoop dagge dan alle-
'maal zult kome, schrijf ik met de pen en met het hart.

CHARLOT BELLEKENS

'Pé, S – Seffes as 't doenker is zal onzen baas ballonnekes
aansteke, en e groet vierwerk make.

CHARLOT BELLEKENS'

En als 't gedaan was met lezen liepen er twee vette tranen
over hare rode wangen en ze zei seffens daarop met een
krop in haar keel: 'Kom ete.'

HET VOGELENBEZOEK

Na het eten deed Pallieter klimsporen rond de benen, nam een leerken op zijn schouder en trok de velden in om eens te zien hoe het met de eieren en de jonge vogelen stond. Hij deed bijna boom vóór boom, zette het leerken tegen de strunken om in de holten te zien, of klom met een katterapte in de toppen van de bomen.

Hij zag alzo de roze, groen- en zwartbespikkelde eikes in de donkere nesten glimmen, hij telde ze, en had er deugd van, ze eens met lichten vinger te kunnen bestrelen.

Maar het langst kon hij blijven stilstaan voor een nest met platte jongen, die met hun gulzige bekken wijd open lagen te schreeuwen naar eten.

De velden lagen in den vrede van den noen. Er waren weinig boeren op het land. 't Was alleen de zon, in den fijnbewolkten hemel, die het grote werk deed. Ze warmde door en door de vette groenigheden.

De peekens zwollen ervan in den grond en het groenblauwe koren ging er zichtbaar bij omhoog.

De verten waren zuiver lijk op gotieke schilderijen. En

Bruur beklom nog vele bomen, sprak met een boer of boerenmeid, zat het veld te bezien, dronk zijn dorst af aan de beken en zo was hij al 'n hele tap gegaan, en zijn maag keerde om van den danigen honger.

Hij meende naar huis te gaan maar daar zag hij ineens, gans alleen op het bolle van de wijde streek een slanke populier torenhoog in de lucht rijzen, met erachter een ontzaggelijke Hollandse witte wolk. Dáár wilde hij eerst nog op! Als hij maar hoog en gevaarlijk kost klimmen, dan was hij in zijn element. In een ommezien zat hij in den kruin.

God van de zee! Wat was de wereld paradijsschoon van daarboven! 't Was alsof de aarde heur hert had opengedaan! Uren ver strekte het vruchtbaar land onder hem uit. Hij zag wel twintig kerktorens en ik weet niet hoeveel hoeven langs alle kanten liggen. Alle dorpen hadden molens, en de rode daken en witte geveltjes lagen als fijne perelen van koraal en oesters in de kostelijke weelde van al die verschillende groenen van bossen, beemden en gevierkante velden.

Zwarte treinen reden heel ver met 'n lange witte wolk achteraan, langzaam in de wijdte. Gezeilde schepen schoven op de Nethe die glinsterend, in rustige bochten, den enen horizont met den anderen verbond. En groot stond de hemel daarover, vijf keren zo hoog, en de zon vulde de aardkom met heur overheerlijk licht.

Alles scheen zo klein en zuiver als een stuk nieuw speelgoed en Pallieter zei:

'Van hier gezien is de mens nog gin pijp toebak weerd!...'

Hij zat daar hoog en droog, als 'n reus, die baas was van dat land. En er kwam tot z'n grote vreugde 'n wind het sop van den populier bewiegen. Pallieter touterde mee en 't was alsof hij op een wolk waaide naar een ander land. Zonder dat hij 't zelf wist galmde er uit zijn keel een machtig lied dat tot tegen den hemel klonk.

't Was hier te schoon om naar beneden te gaan. Maar 't witte licht verguldde, en de zon wierd groter en groter, en rood. Het rood jubelde de wolken in en rolde over de wereld.

En achter verre blauwe bossen zakte de zon in een chaos van rustige, helverlichte reuzenwolken. De schaduwen schoten lang uit en namen de klaarte weg. Beneden was de wereld in de schemering, maar op Pallieter plakte het zonnegoud nog lijk rood papier. Hij had zijn eigen willen bestrelen.

Heel ver zag hij twee reigers zweven. Zijn ogen verlieten ze niet, want ze waren groots in den wassenden avond. Hij volgde mee de grote lijn die ze met wakken vleugelslag door de toesluitende avondlucht trokken. Soms bleven ze 'n helen tijd met wijduitgestrekten vleugel en schoven dan roerloos voort op het donkerende blauw. Ze waren vol mysterie en gaven een diepen indruk. En even roerloos en zwijgend als ze gekomen waren verdwenen ze in de purperen schemering van den tegenover gestelden einder.

Als ze weg waren was er als iets van hunne ziel in de lucht gebleven. De zonnetriomf was uitgestorven; er flakkerde·ten westen nog een vage klaarte en in het veld brandde ievers een lichtje. Dat was de avond.

Toen daalde Pallieter af, en ging met de gauwte naar huis, want zijn beer grolde in zijn lijf. Maar hij zweeg, want hij was aangedaan tot in het klokhuis van zijn ziel.

's ZATERDAGS VOOR DE KERMIS

De zon werd groter en vlamde de hemel in een rijkelijk blauw.

De weelderige bomen waren eens zo groot geworden en de Nethedijken de helft verhoogd van het lis, het riet, de smeerwortel en de witte kervels. Het gers der beemden kwam boven de knieën en de duizend vette kruiden wasten ondereen tussen honderd verschillende bloemen. Zurkel, suikerij, vergeet-mij-nietjes, peerdepoot, wilde klaverpluskes, enen helen boek.

En den enen dag tegen den anderen veranderden zij van uitzicht. Nu eens was geel de hoofdkleur, dan purper, dan roos en dan weer groen, al naar gelang den groei der kruiden en der bloemen.

En dat was 'n blijdschap voor 't gezicht, en 'n wellust voor den neus.

De beken waren toe van 't groen, en het graan kwam boven de koppen der boeren.

De bossen waren als bergen. En terwijl de zon daarbuiten de kroon bereidde van het jaar, dat zijn de zoete vruchten, waren de mensen in en rond hun huis alles gereed aan 't maken voor de kermis.

Deze nu viel juist op Sinksen, het feest van God den Heiligen Geest.

En bij Pallieter stoof het er!

Charlot haar hert was maar een boon groot van blij verwachten, want de schone Begijnhofprocessie zou haren groten ronde doen door het hof en over de Begijnenvest, ze zou er mee ingaan en alzo veel aflaten voor zichzelve en de zieltjes verdienen. Een zoete lach krulde gedurig om haren mond.

Pallieter hielp haar mee een volle wasmand strooisel snijden. Zij had rood, blauw, geel en groen blinkend papier gekocht, dat zij in vingertop-grote vierkantjes verdeelde; ze liep de katholieke kruidenierswinkels af om het zilveren papier van de chocolade te krijgen, en den dag van de processie zou zij er rozen, vlieren en riekende kruiden bijvoegen. Het kon niet schoon genoeg zijn, want onze Lieve Heer zou het met zijn eigen voeten betreden. En terwijl ze sneed, zong ze liedekens uit de kerk.

Ze zou kunnen stoefen en pronken met hare mand strooisel tegen de begijntjes die meestal arm en gierig waren en tevreden moesten zijn met de gekleurde omslagen van oude St. Franciscus' en Maria's boden.

'Wa zal onzen Lieven Hier blij zijn mé zoe' schoe stroessel!' zei Charlot handenwrijvend.

'Oewe Lievenhier mokt za' blij mé 'n doeë mus,' zei Pallieter. En Charlot was gram voor een half uurken.

De zaterdag kwam en er was geen wolksken aan den hemel. Geen windeke bewoog; alles stond stil als 'n huis en een pluimken in de lucht zou van zijn plaats niet verroerd hebben.

Charlot had haar handen vol. Ze zorgde eerst voor een lekkere merte, rolde het gekapt vlees tot kinderkopdikke bollen, en, terwijl ze stoofden, maakte ze saus van bezensap en patattebloem. Als de frikadellen goed gestoofd waren en nadien met 'n bruin korstje in zoete boter gebakken, goot zij de rode saus er over. 't Was om er van te bekomen zo fris.

Binst kookte een grote ketel rijstpap. Ze schudde ze in tafelgrote schoongebloemde telloren, en wat er in den ketel bleef, lakte ze met heuren vinger af.

Terwijl zij nieuwe erwtjes in haar schoot pelde, schuimde Pallieter de soep. Die was om duimen en vingeren van af te lakken, want er was een felle Kempische haan in, over de tweehonderd ballekens, twee kilo mergbeenderen én een reusachtig stuk bouilli.

Charlot stompte in een kuip de jonge patatten hun vel af, en Pallieter zorgde voor 't bereiden van het speenvarksken. Het vlees en andere spijzen die morgen eerst mochten gereed gemaakt worden, lagen fris en vers in den koelen kelder.

Zij kuisten nog salaad, sneden de bloemkolen, liepen over end weer om dit en om dat, en de stille noenuren gingen vol warme zon over de vruchtbare wereld.

En rond vier uren opende Pallieter het zwarte bakhuis van den broodoven. 't Was alsof hij een heilige kast opende, zo stonden zijn ogen nieuwsgierig gespannen. God! wat 'n warme, zoete reuk van eieren, bloem en melk sloeg hem bedwelmend in 't gezicht! En wat een smakelijk, gouden koleur bloemde op uit de schemering van den oven! Hij haalde de broden er voorzichtigjes uit en lachte hardop om de diepbruine kleur die naar de kanten blond en geel neerdaalde. Er waren weelderige scheuren in, die het blanke brood-hart lieten zien, en Pallieter plukte er van goesting de losse zijlapjes af.

De toerten waren welgelukt en schoon en geurig om een Sint Antonius te verleiden. En de zon die door het venster plonsde blonk schitterend in de rode en gele confituren.

Maar ineens verduisterde het licht, en daar kwam een grote, grauwe wolk voor de zon geschoven. Pallieter kon het bijna niet geloven en Charlot kwam in de bakkerij gelopen, lamenterend:

'Ejé! dormee is 't goe weer nor de knoppe!... En de kermis en de processie!... Och Jezus-Maria-Jozef, ik gon algij ne pottenoster leze!'

Ze liep terug weg naar heur kamer, waar ze néerviel voor haar Scherpenheuvels Lievevrouwken, en, met toeë ogen, begon te bidden.

En klets! daar viel de regen.

'Ja, mor dor van geprofeteerd!' riep Pallieter.

Hij liet de toerten staan en liep naar buiten in den hof.

Op een omzien stond hij uit te lekken lijk een waterhond en 't deed hem deugd, lijk aan een kouden bedelaar warme melk met korentenbrood.

De koele, malse regen ruiste fris over het land, begoot de bomen en de planten, kletste op het water en kletterde op het dak. 't Was 'n symfonie van water!

De duiven en de kiekens sloegen hun vlerken over hun kop, om de warme puttekens van hun zwingen nat te laten worden.

Petrus de ooievaar stond roerloos met zijn wijf, elk op een been, in zijnen nest, en de eenden lagen op den blijk met open vleugels bijeen geklodderd.

Pallieter was twee dagen tevoren het haar rats nevens het hoofd afgesneden en nu kletterde en blonk de regen er op lijk op een stenen bol.

Het regende, regende!... En, terwijl hier het water stroomde, kwam er een balk zonnestralen door de wolken geboord, en daar was een vinnige plek lichtgroen land ginderachter in het veld. Het licht ziftte door den vallenden regen, en nu was 't goud dat er viel, allemaal bonen goud. Pallieter keek zijn ogen uit.

'Da's manna!' zei hij, en hij wierp zijn kop achteruit, opende den mond en liet er de gouden droppelen invallen.

En daar kwam weer een straal, en ginder nog een en 't was alsof de eerste frisse, groene lente met de gauwte teruggekomen was.

Ginder, boven den veldbuik, rees het uitgewaterd einde van de vlaag omhoog en de helft van het land schitterde in de zon, wijl het donkere gedeelte nog ruiste van den regen.

De vogelen schudden het nat van hun zwingen, vlogen op 'nen anderen tak en daar begon een zoetelief te fluiten, een vink te kwetteren, en ineens was het er op: al wat maar bek had sloeg met een gekuiste stem de frisse vreugde uit. De haan kraaide en een leeuwerik steeg omhoog.

'Da's plizant, hè?' schampte Charlot, 'oe zoe late beregene!'

'Och meske, zwijgt, 'k ben er 'ne voet mee gegroeid,' zei Pallieter, en ging een zuiver hemd en een ander broek aandoen.

De natuur scheen veertig dagen verjongd; alle mogelijke reuken stegen omhoog uit den natten grond, en alle bomen zongen.

De hemel was weer rein en blauw gelijk een vergeet-mij-nietje en de zon deed alles nog nat van den regen blinken.

Pallieter wandelde nu vol innerlijken vrede door zijnen hof.

Och, daar had dit kwartierken regen ineens de volle zomerweelde gebracht. Het nat haalde al de bloemenreuken omhoog, rozen, vlier, reseda en alles ondereen. Het had de berstensrede knoppen vaneen doen gaan, en nu stonden er eens zoveel bloemen. De bomen lekten nog en in alle bloemen straalden regendruppelen zilver.

Er kwam een goed gevoelen in Pallieter. Hij nam zijn doedelzak, zette zich neer op de bank vóór de voordeur en begon te spelen oude doedelzakliederen, zoals: 'Ick wil van de kerelen singen, al met hunnen langen baert...' De grove klanken ronkten in het goud der ondergaande zon.

Begijntjes kwamen luisteren, vertelden met Charlot die met hare volle wasmand strooisel pronkte, en zij wandelden over de vest...

In de versgeschuurde keuken smaakte het avondeten en het bier om driemaal opnieuw te beginnen.

De nacht kwam, en de stilte; de grond dampte den regen in fijnen doom omhoog en pas was de laatste schemerklaarte weggestorven, of de zon rees daar terug, rood lijk een ovenvuur, en 't leven herbegon.

't Was zondag en Sinksen, het feest van God den Heiligen Geest.

KERMISMORGEND

De morgendamp hing nog in de lage struiken en op het water, als van overal de klokken begonnen te luiden.

Als Pallieter zag, wat een heerlijk weer de dag ging brengen, gooide hij zijn klak in de lucht en liep met lachend gezicht naar den zolder, op het donkere beiaardkamerken. Hij wierp er een houten dakdeurken open en het witte licht kwam binnengespoten, en van de eerste verblinding bekomen zag hij daaronder het frisse morgenland in al zijn deinende wijdheid bloot liggen. Seffens begon hij op de houten krukken te kloppen en te slaan; de ijzerdraden rinkelden, het hout piepte en kraakte, maar bovenuit klonken de heldere klokkeklanken, als tegeneenrinkelende kristallen bekers in de parelklare lucht. Door zijn hart gonsde de klokkejubeling, en hij zong mee zo hard hij kon.

Daarna stak hij door het dakvenster een nieuwe kermisvlag, en de zoetwandelende oostenwind roerde de felle koleuren. Dan ging hij naar 't Zevenuurmiske op 't Begijnhof en nadat hij met Charlot koffie had gedronken met hesp met eieren in de pan, ging hij wandelen, al smorend een fijne sigaar. De regen van gisteren was voor den grond een zalf geweest, en alles stond eens zo schoon, zo helder en zo rein.

Met al de kermiszorgen had Pallieter de benen onder zijn gat uitgelopen, en nu was hij gelijk een kind zo blij den scherpen reuk van 't open veld te rieken. Hij lachte, riep echo's op, dronk ievers bier en speelde met de kegelen.

Als hij weerkwam spande hij de zwertgevlekte witte merrie in de vers-geschilderde huifkar en reed ermee naar de statie.

Alle huizen in de stad waren bevlagd en de beiaard van St. Gommarustoren rammelde volksliekes over de daken, waarboven duiven toerden. Er wandelden reeds venten met ballonnekens en wat verder klopte een Italiaanse orgel.

Terwijl Pallieter weg was stond Charlot in den war met haar eten. – "'t Mag zijn wa' wilt,' zei ze, 'mor iest veur God gezorgd.'

En ze haakte aan den gevel blauwe keersarmen met lange keersen erin, en zette tegen de voorpoort een tafel met stijf wit laken over, waarop ze het kasken met het Lievevrouwen-beeldeken zette, een palmhouten crucifix en al de vele heiligen van haar kamer.

'Want allemaal meuge z'ons Lievenheer zien,' zei ze. En daarrond en daartussen zette ze zilverglazen vazen met bloemen, en kandelaren in oud koper, met papier omkrulde keerskes in.

Ze zag dat het goed was en ging voortwerken aan de spijzen.

En in de stilte zongen de vogelen, klapperde de vlag, en straalde de zon door de blaren van de bomen; ze schitterde in de vazen en in 't koperwerk, en deed ketsen en blinken het goudbestikte manteltje van kindeken Jezus' Moeder...

Pallieter laadde het vrouwvolk in de huifkar. Als hij Marieke zag trok hij ogen lijk sauspannekens en zei met een zucht:

'Och, wad e schoe kind!...'

Het mannenvolk kwam te voet achteraan.

Het huifkarreke was van binnen in de gele klaarte een tuil van overschoonste koleuren. De vrouwen hadden al hun zwaar goud aangedaan en de oudste droegen fijne kanten mutsen, met een strohoed over waarrond een bleektonig lint stijf neerhing.

Ze hadden zijden pompadoeren châles om, waarbij er vuurrode waren, purpele en kreem-witte met wijnrode bloemen in. Er was een vrouw bij met een zuigend kind.

Een kwartierken later waren ze aan den Reinaert. En het was met Charlot een gepol en lawijd gelijk een laatste oordeel.

Maar daar ineens, in blauw kleed met witte bollekens en fris gelijk een bloem in 't veld, stond Marieke vóór haar.

De tranen spoten uit Charlot haar ogen, ze pakte ze vast, kuste haar op den mond, hief haar op, en drukte haar haast te pletter op heur dik lijf.

'Och wa' zadde toch e' schoe' meske geweurre!' riep ze. 'O ma' Marieke, ma' Marieke!...' En ze kuste haar nog eens, en haar tranen plakten op Mariekes gezicht.

De mannenmensen kwamen bij, met getienen, en Pallieter deed al het volk binnenkomen, waar ze seffens begonnen bier te drinken en pijpen te smoren, en te vertellen van hun aarde, hun beesten, hun kinderen, en het weer. Al het andere was hun vreemd als stond het in een boek. Ze wisten niet dat ze van vóór of van achter leefden en Pallieter zei daaruit: "Nen boer me' verstand is e' staal van 'ne mens.'

Wat later trokken ze tegelijk den hof in, in afwachting van de processie.

Ze waren in groepjes verdeeld, en in dat rijke groen en die schone bloemen vlamden de koleuren van hun zijden halsdoeken. Er bleven er nieuwsgierig voor 't fonteintje staan dat op zijn hoogste spoot, en flitsperelend neerdripselde op den rug der rustige goudvissen. Anderen zagen de kloeke Kempische hennen en hoendervogels na, en ieder stond verpaft van den schonen pauwesteert.

De pijpen smoorden, en het goud schitterde, en daaromendom lag de wereld in de zon.

Ineens liep er een rietklankig lieken door den hof. Het was Pallieter die op een hobo speelde en met Marieke aangewandeld kwam.

Aan 't fonteintje gekomen, waaronder Marieke heur hand openhield voor de waterperels, deed Pallieter het speeltuig van den mond en zei tot haar:

'Lot ma' oe' nij is fijn bezien!'

Hij lei zijn handen op haar ronde schouders en bezag haar van het hoofd tot de voeten. In haar roodkakig hoofd perelden twee grote bruine ogen met een vinnig zwart kinneken, haar appelrode lippekens stonden hoog onder den fijnvleugeligen neus, en in haar rechterwang was er een putteken als ze lachte. Haar kin stak verlangend vooruit, en de melkwitte hals was rond en mals om erin te bijten. Hare jonge, nog rechtstaande borstjes begonnen hoog, en hare heupen waren rond. Ze had donkerbruin haar en poezelige handen. Och wat was ze toch schoon! Over heel haar wezen lag de asem van den buiten en de jonge, blijde groeikracht der grote natuur. Ze stond daar, zo natuurlijk als water en haar gezicht was lijk een open boek. 't Was melk en brood.

En de zon scheen rood door de schelpen van haar oren en poederde kranslicht in heur haar. En Pallieter zei:

'Ge komt niks te keurt as vleugeltjes.'

Ze lachte heur tanden bloot, en zag naar heur schoenen.

En Pallieter bleef haar bezien, en voelde een bol in zijn hert komen van verlangen. Maar zij hief terug haar hoofd op en vroeg:

'Spelt nog is e' lieke?'

En hij speelde opnieuw en ze gingen samen voort.

Maar daar schoot ineens de lucht vol grote klokkeklanken. Pallieter riep: 'Z'is dor, z'is dor! Manne, kom!'...

En ieder haastte zich om aan de deur te zijn.

Terwijl ze achter de versierde tafel gingen staan, ontstak Pallieter de keersen, en strooide op den zandweg bloemen en gesnipperd papier.

Van achter de trapgeveltjes der huizen kwam traag tromgeroffel, een djimslag, en dan een langzame feestmars van koperen muziek.

'Z'is dor!' riepen de kinderen en mensen, die van uit de stad kwamen zien, en gingen op het gers staan tussen de hoge boomstammen om den blonden weg vrij te maken.

De boerinnen haalden hunnen paternoster uit den zak en begonnen te lezen.

En daar, van uit de brede poort, kwam de processie op de overlommerde Begijnenvest.

Die den stoet opende was de lange koster Lamdieke in rode soutane en wit koorhemd. De dag glom op zijn platte kletskop waarover een dunne klis zwart haar lag gekamd. Hij torste een hoog mageren kruis, en zijn ogen zagen naar omlaag.

Nevens hem stapten onverschillig twee koorknapen, die elk een zwaren zilveren kandelaar met brandende kaars droegen. De weesmeisjes uit de Marollekens volgden op drie lange roten, ze waren deftig in 't zwart gekleed, waarboven hun gezichtje, mager en bleeskes door 't binnen zitten, met rechtgesneden haarkalotteken, bedeesd uitkwam. Er waren dutskens bij van nog geen vijf jaar oud, en ze hielden, even nederig als de groten, hunne ogen naar omlaag. Er waren veel kinderen bij van zatte vaders. Nevens hen, in wijde zwarte mantels en witte kappen met brede, zwierende vleugels, stapten de strenge marollen. Ze waren allen mager en recht, alleen de moeder-overste was een klotteke vet.

Achter hen kwam een struise boer, in rode soutane, die de

blauwe fluwelen vlag van Sinte Begga droeg. En dan een verblindende weelde van maagdekens, kleine kinderen allen in 't krakend wit, met vaantjes, en gouden horens van overvloed, gevuld met bloemen, korenaren en riekend kruid.

De blijdschap blonk op hun gezicht, en fier stapten ze met stijve beentjes op de maat der muziek, en de gesteven witte rokskens ruisten als een zee.

De muzikanten waren oude venten, ze bliezen zo hard ze konden en hun kleren roken naar de kas.

Dan volgden vier struise kwezels, met witte maagdekleren aan, waarvan de mouwen te lang waren. Zij droegen gezamen op een berd, dat met lederbeslagen krukken op hun schouders rustte, een blauw geschilderd Lievevrouwken, een duim groot. Het was hier ten tijde der Spanjolen aangespoeld en werd nu vereerd, wel veertig uren in den ronde, voor het keren van de jaren.

Het was 'de Honingzoete Maagd uit Holland langs de baren der zee hier aangespoeld en in ons land gevaren.'

En daarachter, luidop biddende, kwamen al de vrouwelijke leden van de congregatie, ouden en jongen, en hun rappen gedempten 'bid voor ons' antwoordde ring aaneen op de ijzerscherpe litaniestem van een struise begijn. Ieder had zijn paternoster in de hand en het blauw lint met zilveren medalieken aan den hals.

Charlot was daartussen, ze had wel plaats nodig voor drie, en ze zag nog niet eens op naar Pallieter, Marieke en heure familie.

Kleine jongens, in rode pausen en purpele bisschoppen gekleed, volgden met staf en lanteren.

Twaalf begijnen in witte lakens droegen met veel moeite de zware zilveren relikwiekas van Sinte Begga. Zij blonk gelijk de zon en schoot stralen in de lucht.

En daarachter op vijf lange roten, allen met witte lakens, die den grond raakten, over hun hoofd, volgden al de kinderen Begga's. Het waren lijk spoken, en zij zongen met schraal verhongerd stemmeken slepende kantieken in 't Latijn.

Alsdan een ruisende koleurenwemeling van zijden en fluwelen vanen, zilveren en koperen geschitter en stralengespetter van hooggestoken brandende lantaarnen en torsers. Daaronder met verpluisden witten zijden hogen hoed op, en schone halsdoeken om, al de ouden peeën van 't Begijnhof elk met een smokende flambouw van wel een arm dik. De drie blinde venten waren er ook bij.

En daarna in een zeerogend geschitter van zonbeschenen goud, omgeven van gezang en belgerinkel en zoeten wierooksmoor, kwam de Baas van hierboven de processie sluiten.

Iedereen ging op zijn knieën zitten en vouwde de handen saam.

Vier mannen in 't rood staken de gouden baldakijn omhoog waaronder de pastoor, in gouden koorkap, de blinkende remonstrantie, met 't Heilig brood erin, vóór zijn gezicht hield.

Zijn ogen waren toe, zijn blinkend kletshoofd stak een beetje boven de hoge stijve kap, en zijn lange witte sluikharen waaiden nevens zijn oren.

Mensen van den buiten en de stad, die den toer meededen, kwamen daar achteraan.

En traag ging de processie voort onder het weelderige groen der hoge vestebomen. De zon scheen erover, en de koleuren blonken als diamant. De wind speelde met de kleren en klapperde in de vlaggen. De muziek ruiste, de bellen rinkelden, en de klokken galmden den groten feestdag in de lucht.

Pallieter was door al dien eenvoud waaronder zo'n groot geloof blonk, zó geroerd dat er een krop van in zijn keel kwam.

'Kom,' zei hij, 'we gon 't er oek achter.'

En het boerenvolk met Marieke voegde zich bij den stoet, en hij Pallieter, den Bruur, sloot de processie en droeg een brandend keersken.

De ommegang ging zo voort, en schitterde van ver door de boomstammen. Twee nachtegalen begonnen tegen elkaar te fluiten, de wierook hing nog blauw en geurend in de bomen en was een reuk over de aarde als een balsem.

In de rustige zondagvelden was geen mens.

De processie was binnen. Pallieter wandelde met het boerenvolk op de vest, en Charlot stond binnen te koken. Op het Begijnhof was er ineens een blij gekres van kinderen, en zie! van uit de Begijnenpoort kwamen joelend de witte maagdekens en de rode en purpele bisschoppekes gedanst, elk met een paksken suikerbonen.

Zij liepen algelijk in den beemd en riepen en lachten, al

smullend en smerend, hun vreugde in de lucht. Ze waren wel met veertig, en 't was een ritseling en klatering van koleuren die tranen in de ogen keutelde. Ze sprongen over de slootjes, liepen achter elkaar en plukten hun armen vol bloemen en peerdesteert. Doch drie begijntjes kwamen hen berispen en joegen hen naar huis, maar de kinderen lachten er mee, sloten hen in een kring en dansten er zingende rond. De begijntjes vonden het heel plezierig, dat ze seffens meededen, en nu kwamen al de jonge begijntjes, die op de vest wandelden, afgelopen en dansten mee in 't ronde. De pastoor verscheen en riep hen weer met den wijsvinger. Pallieter ging achter hem staan en wenkte de begijntjes met zwaaienden arm om den pastoor te komen halen. Zij verstonden het, en leidden den pastoor willens of niet willens in de lachende schaar. En zij omsingelden hem, en draaiden er rond en zongen:

'Is menhier Pastoor ni t'huis
'k Zâ hem is gere spreke
't Aved in zijn huis.'

En hij, de pastoor, zong terug met brekende stem, terwijl hij met den wijsvinger de maat sloeg:

'Ze zegge dat ik 'ne voddeman ben
Ze zegge dat ik gi geld en hem.'

Als Pallieter dat hoorde en zag, pakte hij Mariekes hand

en trok het meisje mee naar de dansende bende, en beiden voegden zich er tussen. En ze zongen en draaiden; en 't was een benengeslaag en rokkengezwaai dat de pastoor er zich krom van lachte. En Pallieter zong een ander lied, sloeg zijn benen boven den kop en wilde van geen stilstaan weten.

Op de Begijnenvest stond het boerenvolk, de oude en dikke begijnen en godshuismannekes, te giechelen en te lachen, en Charlot van uit de keukenvenster, dat de tranen over haar gezicht liepen.

DE FEEST

Terwijl zij, al wandelend in den hof, den pastoor afwachtten, zetten Pallieter, Charlot en Marieke onder de lommerte van den kastanjeboom een lange tafel van planken op schraagskens. Ze sloegen er een blauw-geruit laken over en bedekten het met helgebloemde telloren, glinsterende glazen, messen, lepels en vorketten.

Een dichte root van dikbestofte wijnflessen stond donker van het ene tafel-eind naar het andere: het waren als achtereenlopende begijntjes, en in de lommerte lagen twee grote tonnen bier.

Na een kwartierken kwam de pastoor met een lange stenen pijp den hof binnengewandeld. Ieder zette zich rond de tafel, en de schaduw temperde blauwachtig de felle kleuren hunner ruisende kleren.

Terwijl zij over 't een en 't ander spraken, wachtend naar het eten, hielden er enigen, van ongeduldigen eetlust, hunnen lepel reeds vast, en zagen, met hun gedachten in de keuken, over de beemden en de landen, die verlaten in de zon lagen te blinken.

Daar kwam Charlot met een grote soepterrien afgelopen. Zij schepte in, hield haren mond geen Ave Maria stil, en zocht voor ieder naar veel frikadellekens.

De pastoor maakte alsdan een kruisken en bad stil: de anderen deden hetzelfde en Charlot bleef rechtstaan, de ogen gesloten en de vette handen saamgevouwen op haar dikken buik.

Daardoor was er een ogenblik van aandoenlijke stilte, waarin verschietend een jong haantje van op den mesthoop kraaide.

En dan begonnen de lepels te gaan en 't gesloeber van de vele monden.

Als hunne soep ledig was, wierden er al pijpen aangestoken, en toen stond Pallieter recht en sprak: 'Nichtjes en kozentjes van Charlot, ge got hier allemaal veul ete, want er is veul geried gemokt, 't moet allemol oep! En daarom zeg 'k, dat de vier mense die 't minste zullen ete, staaltje moete trekke, en dat den dië die het kleinste strooike trekt, mè zan bloete achterkake in een telloor rijstpap moet gon zitte!'

Dat werd met luid gelach aanvaard, en toen is er daar gegeten en gedronken lijk op een feest van Jupiter.

Niemand wilde de schande ondergaan van het belachelijkste gedeelte zijns lichaams te vertonen. En de vrouwen zowel als de mannen, ze duwden het eten er in, ze deden om ter meeste; de een wilde niet onderdoen voor den andere.

En er kwam achtereenvolgens in overvloed: tarbot met

aardappelen, hesp met labonen, kalfsgebraad met aspergiën, Kempische kiekens met salaad, een heel speenvarken, met bril voor de oogskes en appelsien in den snuit, honderd meters worst met witte kool en er werd daarvan gegeten, opgeladen en bijgeschept dat het zweet hun op het voorhoofd stond en in hun telloor lekte. En om alles beter in hun maag te krijgen, goten zij gedurig van het koele bier en den fijnen wijn door hunne keel, zonder kloeken of slikken, lijk door een stoofbuis. Het was een lawaai en rumoer, en er werd gelachen als er een wat te weinig at, en op voorhand victorie gekraaid en gezongen.

De zon en de lommer speelden op hunne rode gezichten en glansden helder op de stijve kielen en op de zijden halsdoeken; en daarbuiten, over de haag, schitterde de lenige Nethe, en strekten zich de rustige zondagvelden uit. Er hongen zoete liederen in de bomen, en de aangename reuk der stoverijen wandelde in het veld.

Pallieter, die nevens Marieke zijn plaatsken had gezocht, zat zich soms krom te lachen, als hij die vretende mensen zag.

Charel Verlinden, een dikke boteropkoper, liet de karbonaden met peekens en erwten passeren. 'Ik zal straks man scha wel inhale,' zei hij. Maar iedereen begost hem uit te lachen, en zij verkneukelden er zich reeds in, zijn groot achterste te zien.

De buiken zwollen, en drie mensen stonden te wachten vóór 't vertrek. En nog kwam er maar gedurig áán vers eten.

Een jonge boer wierd ineens bleek, liep achter een boom, lijk een ezel balkend, braken, en kwam terug zeggende: 't Is niks.' Hij dronk zijn glas wijn leeg en ontstak een verse sigaar. Marieke gaf maar heelder stukken vlees aan Loebas en meneer pastoor zei:

'Drinken is ook eten.' Deze voelde zich beschermd door zijne soutaan, en dronk maar den ouden zwarten wijn.

Charlot kon bijna niet meer. 'Ik hem nog kans mè het staaltje te trekken!' zei ze. Dan wierd er eerst fijn gelachen, en men zong al van: 'Charlot is van de brug het water in gevalle!'

Er kwamen nog loze vinken met bloemkool enzovoort. Er was een aangename angst, en honderd zottigheden werden er verteld. Men dronk maar, en de wijn sloeg naar het hoofd. Maar toen kwam de voorlaatste schotel; jonge duiven met kriekenspijs. Stans gaf haar kind van de spijs met haren vinger, dat hij seffens zo rood werd als een indiaantje. Een boerenknecht bracht een tweede schotel, maar de kleine sloeg er zijn pollekens in, en de telloor viel met de duifkens in stukken op den grond; tot veler verheuging, want ze waren raar die nog appetijtelijk aten.

Stans gaf daarop heur kind een schudding en de kleine begon brand en moord te schreeuwen. Zij opende haar jak, wrong er een dikke witte borst uit, en stak ze in 't roodbekriekt gezicht van 't schreeuwend jong. De kleine sloeg er zijn vettige handekens op en begost te zuigen. 't Rood van zijn gezichtje plakte seffens op haar witte borst.

Men werd uitbundig. Pallieter die Marieke nevens hem

voelde, dat schone kind, nam haar in de lenden, en drukte met bekriekten mond een kus op haar wang waarop een rood plaksken bleef, en seffens wierd al wat vrouw was, door het mannenvolk gekust. Het was een gelach en getier waar bovenuit het kind kraaide. Stans vergat de borst in haar jak te steken en zij zwabberde en waggelde mee met de lachschokken van haar dik lijf. Glazen vielen kapot en flessen rolden van de tafel.

De zon zakte.

Maar daar op een draagberd brachten twee man de grote telloren rijstpap. Van dees gerecht hong alles af. Iedereen gaf zijn laatste courage. Een magere toverheks en Pallieter alleen aten hun schotel leeg. En toen moest er staaltje getrokken worden tussen menheer pastoor, Marieke, Charel Verlinden en Charlot. Er was een ongeduldig afwachten. Iedereen stond rond Pallieter, zwijgend en zenuwachtig, en een luid gejuich brak los als de dikke boteropkoper het kleinste strooiken trok.

Maar de dikke boer ging lopen. 'Pak hem vast!' riep Pallieter. 'Charlot, breng de telloor!' De boeren grepen Chare vast, die spartelde lijk een varken om los te geraken, en Charlot kwam met de enorme schotel afgelopen, maar zij lachte zodanig, dat ze in haar rokken waterde, en de schotel in honderd stukken vallen liet. Charel Verlinden danste verheugd met de armen in de lucht. Iedereen stond te lachen om breuken te krijgen, en Pallieter rolde er van op den grond.

Verlamd en vermoeid gingen ze zitten uitrusten op den

groenen Nethedijk, terwijl de zon de wereld met gouden armen omhulde.

Als zij, tot bij klaren maneschijn, onder de lage takken van kromme appelbomen en mispelaren hadden gegeten en gedronken, gelachen en gedanst, en, tot slot, het kort, rap vuurwerk hun benen had doen rillen, namen zij met veel lawijd en gepol afscheid van Charlot, en trokken zingend, terwijl Pallieter aan den arm van Marieke op een mondharmonika speelde, langs de vest en door de straten naar de statie.

Daar gaf hij de vrouwmensen allen een paar klinkende kussen, bij Marieke kon hij er bijna niet uitscheiden, en hij liet haar niet los voordat ze beloofd had binnenkort voor enkele dagen weer te komen.

En ze vertrokken, verhit en luidruchtig, in hun schoon kostuum naar hun ver dorp, om morgen bij zonsopkomst alweer met slechte kleren in het mest en het groeiende veld te staan labeuren...

En Pallieter voelde dat er iets van hem meeging naar ginder. Als hij thuiskwam lag Charlot in de keuken met ovenrood hoofd op de tafel te slapen, met nevens haar den paternoster en getijdenboek.

In den hof rook het naar verbrand papier van 't afgestoken vuurwerk. De maan scheen en lichtte op stukken flessen en telloren, in het gers, door het spuitende fonteintje, en op de ordeloze glazen, eetgerief en vruchten op de tafel.

Pallieter vond het schoon. Hij zette zich op ene bank en zat het stil te bezien.

Heel ver in de stad was er nog kermismuziek, en een nachtegaal floot dicht bij hem. Hij zag hem zitten met den staart scherp profilerend op den zilveren manebol.

Hij floot kort, beluisterde lang zijn eigen, maar elke klank was goud waard. Zo zat Pallieter daar lang met den schijn der maan op zijn handen, en de nacht sprak tot zijn hart.

Hij ging wandelen.

De Nethe was stil, en slechts nu en dan lekte de maan een guldene plooi in het donkere water.

De beemden lagen vol doom en het gers was nat van den dauw. De stilte was heilig.

Pallieter wandelde langzaam voort, plukte een natte bloem, die hij tussen de tanden wiegelen liet, en zijn schaduw wandelde met hem mee.

Hij kwam in het veld waar de vruchten roerloos in den lagen nevel stonden.

Het koren glom, strunken bogen maanbelicht over met witte bloemen begroeide grachtjes, en de berkebomen ritselden blinkend hun ijlen blarenregen.

Hij zag het wit gat van een konijntje tussen de selders weghuppelen, en wat verder nevens een mutsaard zat in het gers een verliefd paar zwijgend te vrijen.

Pallieter ging wat op zijde om hen niet te storen.

Na al het rumoer en de uiterlijke vreugde van dezen kermisdag was hij door dezen volle-maanbelichten nacht geroerd tot in de ziel, en zijn hart smolt van ongekende goedheid in zijn lijf.

Hij dacht aan Marieke, dat goed en zoet Marieke, dat hij zo schoon vond als een veld, wier lichaam hij had omprangd, wier lippen hij had gezoend.

En hij was vol van het verlangen dat Marieke bij hem zou zijn, zo heel stil, hand in hand, lijk twee brave kinderen.

Er was iets in hem dat hij niet bepalen kon, maar hij liet het rusten, want het was zo zoet voor de ziel, als voor een warmen mond een koele kers. En aan een plasje waarin de maan stond, haalde hij de mondharmonika uit den zak, en zuchtte en zoog er zulke zachte zilverklanken uit, dat het leek of 't de maneschijn was die zong.

EEN SATERACHTIGE DAG

't Was al wat na de kermis...

Van toen pas de zon was opgegaan en de eerste zwaluwen in de verse lucht aan 't zwieren waren, stond Pallieter reeds op den over-Neetsen Molenberg met een lange voermans-zweep te slagen en te kletsen, dat het weergalmde alsof men overal aan 't zwepen was.

Hij stond tegen de stenen pijlers van den ouden, houten molen, en de brede wieken zoefden snel met groot gekraak voorbij zijn neus, en tussen elken slag zag hij het landschap van de Nethe, bedekt met dikke lijnen morgendamp.

De zon hing nog matgeel achter de grijze stad, waar vroegmisklokken luidden uit kloosters en uit kerken en schril treingefluit de lucht doorsneed. De zon kon op de bomen nog niet schijnen, maar van achter het onzichtbare bos bolde alreeds een brede wind, die openingen draaide in den doom; en de bomen begonnen te klepperen.

Ommiste koeien loeiden naar malkander.

Pallieter dacht aan Marieke, die sedert dien zondag in zijn gedachten zat en hij zei:

'O minne zuster, o minne bruid, ghi hebt mi geckwetst met eene van uw ooghen en met een hair van uwen halse!'

Hij dacht aan heur aangenaam gezicht en heur jonge vormen, en harder sloeg en djakte de zweep de opklarende lucht vaneen.

De zon klom; de dunne hemelwolken braken uiteen van 't licht, en blauwe diepten gaapten over de aarde.

De nevelen zakten, en vensters van de stad schoten vuur; de windwijzer van een hoeve schitterde, en daar bedekte de zonneschijn al wandelende het land.

Vers-omgeploegde velden slurpten met groot geschitter de klaarte op hun vettige schellen, dat ze werden als spartelende waters. Er kwam gekraak en gegons van kevers en van vliegen. Pallieter riep:

'Vader zon bevrucht moeder aarde!'

En hij liep zo maar rats tussen de feldraaiende molenwieken door, den berg af in 't natbedauwde veld.

Hij drentelde al zweepkletsend langs wegelkes, hagen en waterkant, en zong het land bijeen.

De nevelen waren weg, en opnieuw openden zich de verten, rijk aan korenvelden en savooien. Pallieter verblijdde zich om de blauwheid van de lucht en den kalmen reuk der aarde.

De hemel draaide rond de wereld vol bloemkolenwolken, en in een hof balkte een ezel lijk een verroeste pomp.

De meimaand was een gouden hoorn van overvloed. Het leven was er nu voorgoed, de winter was vergeten en de reusachtige zomer stond voor de deur.

Het werk was gedaan. De bomen lieten hun vruchten stoven, de vogelen legden geen eieren meer, en er was een schone kalmte over de natuur gekomen als bij een krijger na een heten strijd.

Dat zijn de schoonste dagen voor de schapen, die met hun lammekens aan hun uiers lopen, voor de sprinkhanen en de jonge vissen.

En de natuur wil voor niets of niemand iets van hare goedheid achterhouden en hare genietingen hangen zo maar voor 't pakken in de lucht. Zij is eenvoudig als een kind en goed als ene moeder, en wat zij geeft gaat tot in het leven van de ziel. Dat is de àl-goedheid van de oude aarde, die zich telkens vernieuwt, en door de mensen niet begrepen wordt, daar zij elders zoeken.

Daarom zeiden de filosofen: 'Gaat tot de natuur! Gaat tot de natuur!' Maar zij zelven keerden hun gat naar de zon, en vermagerden lijk graten tussen stapels boeken en dichtgesloten kamers.

'Fillesoof zijn is ni schrijve, mor is leve!' zei Pallieter, die met zijn voeten in de parij stond en 't perelend zonnespel aanschouwde.

De zon was zo hevig dat ze door de dichtste bomen heelder bundels pijlen schoot en de bladeren bijna doorzichtbaar maakte.

Maar daar kwam, van tussen zilveren olmestruiken, iets roods, bloedroods in Pallieters ogen pikken.

Hij sprong over het grachtje, kroop door het gewas, en daar stond hij voor een overgroten bunder papavers. De klaprozenplek trok over heure wijdheid al het zonlicht naar haar koleuren, en 't was lijk een grote vijver bloed.

Het water liep zo maar uit Pallieter zijn ogen, en hij zei met een zucht van bewondering:

'Och, Sint-Jan, worroem staat da' ni in oewen apokalips?'

Hij werd er naar toe getrokken lijk naar een groot geluk, en ineen liep hij erin en verdween tot aan zijn borst in het machtige rood.

De zon vlamde en beet door de grote bloemen, lijk door rood glas, en poeierde van vinnigheid een roden gloed de lucht in, zodat Pallieters gezicht ermee omwonden was, en zijn handen en zijn haar.

Hij moest de geweldige klanken rood betasten en bestrelen, en hij sloeg zijn handen in de bloemen, rukte een tuil uit, dien hij in de lucht zwierde al roepend:

'Koleuren, koleuren is alles in alles!'

Hij ging voort, en wilde de Begijnenbossen in, de eeuwige Begijnenbossen, die zijn als een zee, met ook hun eeuwig lied van vogelen of van wind, en ook gevuld met allerhand gediert. Een bos is als een zee!

Hij drong door 't dichte elzehout, en stond ineens van witte zon in de koele weidsheid van het overdadig groen. De struiken en strunken van hazelnoten, wilg, olm en eik en dorens nog daarbij, stonden er dicht lijk het haar op den hond. Overal klom de klimop een muur dik op de bemoste bomen en krinselde zich overvuldig met andere slingerplanten van den enen struik naar den andere. Hij lag op den grond lijk tapijten. Er was niet dóór te geraken, maar Pallieter kroop door hollekens, sprong over strunken, klom op een schuingevallen boom, liet er zich weer afvallen, verdween onder een klimopgordijn, en zo drong hij al dieper en dieper in het bos, dat een berg van zomers leven was.

Er klonk muziek van honderdduizend vogelen. 't Kwam als een regen uit de zuchtende takken gevallen, en in de lucht en op den grond gonsde het van vliegen en insecten.

Waar een plekske zon lag zaten de hagedissen als stenen beeldekens; broodkoleurige krekelschelpen plakten op de wildgewassen struiketwijgen en overal roerden rupsen, slakken, spinnekoppen, duizendpoters, motten, pieren, kikvorsen, padden, mollen in en op den grond, die rook van al dat leven. Vissen, dikkoppen en wormen in het trillende water van beken en moerasjes.

De bossen zijn het hart der aarde! Overal was de weldadige reuk van mos en sappig hout. En dan de bosbeziën, die rode bosbeziën met een rijns smaaksken achteraan! Pallieter zijn lippen zagen er purper van. En zo drong hij heen door een wellustige overdaad van leven en groei, tot hij kwam in het eigenlijke woud.

Daar deed hij zijn hoed af, bleef getroffen staan, en voelde zich geen duim meer groot. Hier waren geen struiken, maar uit den rossen bladgrond rezen overal de grijze, gladde beukebomen lijk keersen recht omhoog en spanden ginder boven met dicht bladerengewelf het zicht des hemels af: zij rijden zich achter en nevens elkaar tot een onmetelijke diepte van bomen, die heel ver vergroeide tot een grijze houtgordijn waar lucht noch land doorspierde.

't Was hier een licht alsof de avond al aan 't dalen was, en stil lijk onder water.

En om iets te horen riep hij met de hand aan den mond: 'Pallieter!' Zijn naam gaf een galm lijk in een kerk en viel, na drie echo's, dood in de verre grijsheid van het bos.

En dan begon hij zo luid en zo lang te lachen, dat de ene echo tegen den andere botste, dat er overal lachers waren, hier, daar, voor en achter hem, en terwijl de weergalmen kruisten, daverde de lach gedurig uit Pallieters mond. Heel het bos lachte.

'Nij hemme de boeme gesproke,' zei Pallieter, en zingend liep hij verder.

Het woud was lijk 'n hoge zaal. Hij bleef zien naar een koninksken dat tegen een boom opklom en naar roodgevlekte, wonder grote paddestoelen aan den voet der bomen.

Overal lagen konijnekeutels, en de diertjes ervan, door Pallieters lied verschrikt, wipten in hun holen. Hij zag een vosseklem. Met een stamp deed hij ze afschieten, en haar onder den grond stoppend zei hij:

'Oemda de vos gi gers èt, mut hem steurve! Arme voskes!'

Pallieter dronk zijn dorst af aan een handgroot watervalleken, 't begin van een beek.

De bosreuk hing òm hem, zijn frak en zijn handen zagen groen van mos, zijn lach dreef nog ievers in de verte, en de bosstilte suisde nog in 't diepste van zijn hert! Hij had het bos gevoeld!

Hoe jammer dat hij zijn jachthoren niet had meegenomen, om al de diepste diepten voor zijn gehoor te laten opengaan!

'Mor da's veur later!' zei hij, en hij liep terecht in de vette weiden, overgoten reeds van zware, sterke zon, en bevlekt met bruine, witte en zwarte koeien. Hij ging door het losse gers, en de opgekomen honger deed hem zien naar de roze uiers, die vol zoete, warme melk hingen.

Het water kwam hem in den mond. Hij had maar te trekken om ervan te genieten en de grote goesting deed hem zijn zweep neerleggen. Hij rolde een stuk papier tot een puntzak, zette zich onder een koe, trok met ene der tepels en zie! de straal witte melk spoot ruisend en schuimend in 't papier. Als 't vol was dronk hij hem leeg en het bekwam hem zo goed dat hij er drie zakskes van tapte. Hij hoorde de naar boter smakende melk in zijn holle maag boebelen; het lekte van zijn kin tot in zijn hals, en hij zei tot de koe:

'O wandelende herberg, wees gedankt!'

Al verder gaande wierp hij van voldoening over de weiden de luide knallen van zijn zweep, en hij dacht:

'Marieke is hier nog te keurt!'

O! haar bij zich te hebben in deze paleisachtige natuur, haar te mogen omvatten, met haar in zijn armen over de beken te springen, samen met natte kussen door het zachte gers te rollen, en zijn gevoelige vingeren te laten leven op haar gezond vlezeken! Oh!...

En zonder het te willen zag hij haar in zijn verbeelding, dwars door haar kleding dóór. Hij zag niet meer het blauwe kleed met witte bollekens, maar steeds een poezelig naakt lijveken met schoon geronde vormen. Hij deed zijn ogen toe van klimmend genot, en zong op haar:

'Marieke, pirrewieke,
pirrewitje kandieke,
pirrewitje kanditje,
verrumpeld Marieke!
o zallef, o heunink, o boter der ziel!'

Pallieter begon van zoet voorgevoelen met de zweep te djakken, stampte de molshopen uiteen, liep en draaide, met de voeten los van den grond, rond de jonge boomkens, en zette het dóór het gers en de hoge bloemen op een loop, tot hij buiten adem op den Nethedijk terechtkwam.

De Nethe was hoog, en droeg zo klaar gelijk de lucht de wolken van den hemel.

Als Pallieter dit grote, ijle water zag, dat aan den overkant zo zuiver de gele en purpere bloemen weerkaatste, dan zakte de kalmte weer in hem, en hij werd stil zoals een mens na diep gebed.

Het waterelement klotste machtig in hem òp, en op 'nen één-twee-drie, stond hij bloot, sprong in een spettering van zon doorschenen waterperels in de Nethe, en zwom naar de bloemen.

Het was een reuk als van warme rijstpap; zijn gemoed kwam ervan naar omhoog en hij wist van diep zielsgenot niets anders te doen dan fonteintjes omhoog te spuiten, die nederpletsten op zijn blinkenden buik.

Als hij daar zo een helen tijd in 't water had gelegen, en drie gebolzeilde schepen had laten voorbijdrijven, kwam hij er terug uit.

En hij liet zich afdrogen door de goede zon, plukte een pisbloem af, stak ze tussen de tanden en wandelde naakt, de handen op den rug, een kikvors achterna, die verschrikt voor hem uitsprong.

De noen stond in zijn hete stilte op de bomen, en Pallieter lag onder een aalbeziënstruik te slapen.

De hof was licht en stil. De kiekens lagen in het zand en de twee ganzen stonden nevenseen door de haag te gluren.

Er was een voortdurend gegons in en rond de bieënkorven, en van uit de keuken kwam de gedempte stem van Charlot, die kerkliedjes zong.

De bloemen stonden beweegloos in hunnen reuk en het water van de Nethe was schelblinkend als de rug van een vis.

De beemden sjirpten en de molens draaiden niet...

't Was de reuk van koffie en gebakken haring die Pallieter deed wakker worden, en al geeuwend riep hij: 'Heb dank, o Heer, die man oegen ope doe om nief plezier veur manne mond!'...

't Waren vette haringen, wit lijk zilver, met een echten smaak van vlees, en als hij ze binnen had, zong hij:

'Alle visse zwumme,
alle visse zwumme,
b'halve die gebakke zijn...'

'Bruur,' kloeg Charlot, 'er is gin botermelk oep de Waterschrans...'

'Got er halen nor boerken Aap!...'

'Wa peisde wel,' valt ze kwaad uit, 'zoe'n dik mens alleen, zo ver me zoe'ne zware stoop, in zo'n heette late gaan! Mor zadde ni beschomt?'

'Willik meegaan?' vroeg Pallieter pinkend.

'Kunde allien ni gaan?'

'Om ginne woroem, meske!'

''k Zal 't ontijve!' zei Charlot. 'Wacht mor tot da ge mij is nodig 'et!' en ondertussen stak ze door 'nen koperen melkstoop een mispelaar. En samen gingen ze langs het achterpoortje van den hof de klare velden in.

De wegen waren wit in de zon, en de lucht hing vol hommelegegons, lijk het uitsterven van grote klokken.

Zij namen de kortste binnenweggekes en voor elken stenen kapelleken maakte Charlot een kruis, en daar waar de kersen wat laag over de haag hongen plukte Pallieter ze af, en deelde met Charlot. De zon scheen door hun kleren heen op hun dikke buik, en het kersensap verkoelde hunne darmen.

Ze moesten ievers over een grachtje springen, doch Charlot durfde niet en vroeg:

'Zet er mij is over, Bruur!'

'Dan valle w'er samen in! Maar doet â kousen uit en baad er deur, ik zal oe 'n hand geve!'

'Watte! ikke dor deurgaan! Het water komt zeker tot on man knieë!'

'Allez toe! wat is da'n na' da'k oe knieschijf is zien!'

'Noet of van zelève ni!' en ze keek langsheen de beek of ze nergens wat smaller werd.

'Allez toe, meske, zievert ni!' maande Pallieter.

'Draaid-oe dan om, dagge ma' ni' zie,' zei ze gebiedend.

Pallieter keerde zich om, en hij hoorde Charlot heur kousen uitdoen, heur rokken opheffen en voorzichtig in het waterken gaan. En als hij wist dat ze omtrent in 't midden was, draaide hij zich plots om, zag haar witte dikke billen, en schoot in enen luiden lach.

Charlot wist van 't verschieten niet wat doen, sloeg met de gauwte haar rokken naar omneer zodat ze seffens mestnat waren, en liep dan lijk een bezetene terug uit de beek. En dan begon zij Pallieter uit te schelden voor aap, ballonnekeskop, lange vrijdag, schijnheiligen duvel, tot ze geen asem meer kon scheppen. En Pallieter stond op den overkant te lachen dat hij rood zag lijk een kers.

'Neeë,' riep Charlot, 'ik gon nog liever vroem nor huis dan hier deur te gaan!' en ze trok een gezicht als wilde ze gaan wenen.

'Ni schrieve, Charlot; kom, ik zal er oe overzette!' En meteen wipte hij over de beek, nam de kwade Charlot in zijn armen en droeg haar met veel moeite door het waterken. Hij brak er bijna onder, en zij omklemde hem, met in iedere hand een kous, durkte haar hoofd tegen het zijne, en prevelde luidop enige schietgebedekens. De schrik lag te pakken in haar ogen.

'Ziedaar, gelovig vliespaleis' zei Pallieter haar neerzettend.

Charlot bleef kwaad, en sprak onder 't gaan geen half woord meer.

Pallieter zag naar de schone landen, en smoorde een grote, houten pijp. De lucht was stil lijk een vijver, en de smoor ging recht naar omhoog. Er hing een sperwer heel hoog aan den hemel, waarin drie kleine wolkskes dreven.

Pallieter zag Charlot koppen en zei:

'Ge mut dezen avond is nor Marieke schrijve, da ze na komt.'

'Och ja!' riep ze luid van overmatige vreugde, 'wa zal da plizant zijn!' En heel den weg lang hield ze haren mond geen Ave Maria meer stil.

Ze dronken op de hoeve een pint, en gingen terug, doch langs enen anderen kant, ter wille van de beek.

Het wit licht van de zon was nu verguld, en de schaduwen waren eens zo lang geworden. Héél de lucht was veranderd in een 'schaapkesmerkt,' allemaal kleine witte wolkskes tegeneen gedrumd. Het zakkend licht raakte ze, en ze werden roos lijk pasgeboren kinderen. Voorbij een bosken openden zich de verten van de sappige weiden. En God! de weiden waren lijk vuur en vlam.

'Charlot, scheid eruit van Marieke!' riep Pallieter. 'De zurkel brandt! De zurkel brandt!'

Elk blad van den versgeschoten zurkel slurpte een lek op van het zonnelicht, elk blad brandde ervan, héél de wereld brandde ervan!

Pallieter stond bijna te rillen op zijn benen van bewondering en hij zei:

'Artiste mè en zonder haar, komt allemol zien, en goeit alle gal en botermelk in de stoof!'

Het was lijk brandend water; er was nog licht in het licht, 't was als geest in geest, als iets dat niet meer van de aarde was.

'Komt voort,' zei Charlot, 'wat is er nij on roeë zurkel te zien!'

'Wacht toetda 't gedaan is!' en Pallieter roerde niet meer.

'Dan geun 'k allien voert,' zei Charlot en kwaadweg nam ze den stoop aan den arm, en scheefgebogen door 't botermelkgewicht ging ze de kronkelende wegelkes in...

De aarde draaide vóór de zon, en als er in het westen nog wat vlammen hadden geflakkerd, hing het oosten al vol blauwe duisternissen met één witte ster.

Toen ging Pallieter voort.

De avond vulde de lucht. De bomen stonden zwart en stil, en de ene ster na de andere sprong te voorschijn in het blauw. Pallieter zijn hart ging open voor den vrede van het land. En zo stil lijk het was rond hem, was het in zijn hart.

Twee boeren, elk met een hoge zeis op hun schouder, kwamen met doorzakkende knieën over den weg – zij zwegen en rookten, en wat kwijnend licht glom aan het punt van het staal.

In gindse stilte naderde traag en dof kargedokker.

Daar erkende Pallieter het wijf van Peterus, den ooievaar, die roerloos en asgrijs in den avond, met zijn steltpoten in het water van een beeksken, nog te loeren stond naar vis.

De geur der toeë bloemen dreef zachtekens over het gebogen gers.

Het kargedokker was nu dichterbij gekomen, en Pallieter zag tegen het vale licht van den grond de gaande poten van het paard en het onregelmatig scheefschokken der hoge wielen.

En boven op het opgeladen gers herkende hij de meid van een boer uit de geburen.

'Eh!' riep Pallieter bij een plots gedacht, 'mag ik oep oe kar kome!'

'Ja, kom mor!' riep ze verblijd.

En met twee passen naar omhoog zat hij nevens haar op het doorzakkende gers.

Hij lei aanstonds zijn arm om haar dikke heupen, en het geschok der kar stootte zijn lichaam tegen het hare; hij omprangde haar vaster, en gaf haar een kus op de bollige, vaste kaken. En nu begon hij haar van alles te vertellen dat zij met gedempte giecheltjes beantwoordde.

Het paard ging met eendere, luie passen voort, en de kar schokte luider in den opgeklommen avond.

Stilte omringde de wereld en de sterren stonden groter en talloos in de schalieblauwe hemelrondte.

Een uil vloog met slappen vleugel laag over de kar.

Ze lagen zwijgend naast elkaar, en zagen niets dan de grote lucht, en al de sterren gingen mee met hen. Zo dokkerden ze voort tot ineens het paard hinnikte.

Zij sprong op en zei haastig:

'Allez toe, eraf! We zijn er, spoed oe!'

'Nog, iest e kuske! Toet te neuste kier!' En hij sprong van boven van de kar.

Zij antwoordde niets, riep 'Dju!' tot het paard, en trok feller aan den toom.

Pallieter zag de snellergaande kar in den donkere verloren gaan, en zei tot zijn eigen:

'Onvoorziene liefde smokt het best.'

En fluitend ging hij over de vruchtbare, slapende velden naar huis.

HET VLIEGTUIG

Marieke was gekomen!

Zij bleef er al drie dagen, en Pallieter was blij gelijk een merel in den uitkoom.

Al de zielestreling, die het open veld hem gaf, verkreeg hij nu ook rijkelijk door haar.

Het was alsof zij de buiten was in persoon. Hij mocht tegenover haar staan, heel natuurlijk, zoals hij was tussen de sleutelbloemen en het riet.

Zij was openhartig lijk de wind, die zijn liederen over de Nethe rolt, en zij was goed gelijk de grond, die lis en klaver geeft.

Hij werd warm als hij haar aanzag en haar bijzijn brak zijn hart open. Het was al leven wat er aan was; als haar mond lachte, was het omdat haar hart lachte; dat vlees was gezond en vol blijde levenskracht, als een stuk gesneden uit aprilsen grond. 't Was sap!

Wie de natuur liefheeft móest haar geren zien. En Pallieter deed het. Och, hij was toch zo blij dat ze daar was; hij had haar kunnen kraken en opeten en pijn doen, uit hij wist niet welk gevoel.

Hij zei: 'Als d'aarde oet ne mens zij make, zij z'r iene make lak Marieke.'

Terwijl zij in den Reinaert woonde, vierde de wereld het feest van den langen zomer.

De heette stond op de wereld geduwd, en 't sap kookte in de bomen.

Maar op tijd kwamen zoete, malse regens de aarde vettig houden, en de lucht bleef fris en puur.

Dat was voor het innerlijk leven der aarde een overgroot geluk; want nu kon zij alles geven waar haar hart van oppropte, en lijk een oploop van de zee welden al heure goedheden naar omhoog.

De hoven zagen rood van de kersen en de velden geel van 't graan. Het gers stond dik lijk moorkenshaar, en de vlinders, die wandelende bloemen van de lucht, wemelden lijk blaren in den herfst over de dichtbebloemde wegen.

Was er ooit zoveel snoek in de Nethe en paling in de grachten?

Er ontbrak nog melk en honing in de beken.

Maar voor Pallieter was het zo ook goed. Want is elke streek der aarde geen beloofde land als er de beloofde man maar is? Zet er een duitenkliever of een handelaar, en 't melk wordt dun en blauw, en de honing vol patattebloem... Maar 't was een dubbele zomer, een van de duizend!...

En op een dier morgenden, als de dag paskes in de lucht aan 't klauteren was, werd Pallieter al zingende wakker.

Doch ineens zweeg hij, want hij zag van uit zijn bed de eerste maaiers in de beemden staan.

Er ging een klop in zijn hert, en in zijn hemd liep hij naar de kamer van Marieke, en riep door 't sleutelgat: 'De maaiers staan in 't gers! Kom zien, kom rap!'

Daarmee liep hij terug naar zijn kamer, schoot zijn broek aan, en begost weder aan Mariekes deur te roepen en te kloppen.

Na veel lawijd ging de deur open, en daar stond Marieke op heur blote voeten, in een rood katonnetten kleedje en een witte zakneusdoek om den hals.

'Och hoe schoen!' ontviel het van zijn lippen, en het was alsof er aan elken vinger een draad was, die hem naar Marieke trok. 'Kom,' riep hij, 'of ik val!' en hij greep haar hand, en zij ritsten van den trap, staken hunne voeten in gerookte klonen, en liepen in den hof. Maar daarbinnen in den stal stampte de merrie, en Pallieter kreeg ineens het goed gedacht te paard te rijden.

Zij draaiden de staldeur open, en haalden Beiaard, de witte merrie, buiten.

't Was een kolos van een paard, met aders op zijn lijf een manspink dik.

't Schudde zijn groten kop, en de dik opeengepakte krullende manen, die langs weerskanten zijn breden nek hingen, wapperden lijk een vlag.

Rillingen van genot liepen over zijn huid, de felbehaarde poten stampten putten in den grond, en zijn lange staart sloeg heen en weer.

Het hinnikte en 't was lijk een feestelijke lach die over de velden sprong.

Pallieter zette Marieke scherlings op den ronden rug en plaatste zich achter haar. Beiden zonken weg achter den struisen paardenek en zij moesten hun kop bezijds steken om iets van 't vóór hen liggend landschap te overzien.

En de schuimende snuit naar de brede borst gebogen, stapte Beiaard op den Nethedijk, en zijn grote poten klopten plat en zwaar lijk hamers in het rode zand. Alles bewoog wat er aan was; het genoot en snoof de klare morgenlucht, en was spelend als een veulen, sloeg zijn kop omhoog en opzij, wipte zijn achterste poten in de lucht, en hinnikte aanhoudend.

De buiten was fris en rook bezonder fijn. De weelde van den nacht leefde nog onder het gers, en op de Nethe rok en kronkelde er zich wat witte damp, maar de verten waren klaar.

Er hongen drie leeuweriken te trillen in een lichtgroene lucht, en de laatste ster verwaterde in het uiteenlopend licht van de opstijgende zon.

Zij kwamen aan de beemden, hier en daar met ploegen maaiers bezet.

Pallieter deed de merrie staan, en overzag met blij gemoed dit rijke zomerwerk.

Er hoekten reeds brede straten van afgesneden gers doorheen, beekwater werd zichtbaar hier en daar, en de gerssapreuk kwam met stoten uit de lichtgroene afgemaaide plekken.

Overal gonsden de zeiselen; er klonk van alle kanten gewet en geklop op het klankgevoelig staal en de woorden van mannen en vrouwen – klein en miniem onder het hoogopklimmend geweld van de lucht – waren in de beemdenwijdheid groot en lang.

En swenst opende zich de zon en stak de wereld vol van licht tot over de horizonnen.

Dat spoot stralen uit de zeisens.

'Kom,' zei Pallieter, 'de zon heed de zeiselen geweeën.'

En met een 'dju' reden ze verder langs den molligen weg en klaterende bomen, de open velden in.

Beiaard draafde op gelijken pas en zijn poten klopten dat de aardvlokken boven hun hoofd vlogen.

Zij lachten van genot en lieten zich mee opwippen.

De paardwarmte drong door hun billen en rond hun kop liep de frisse morgenlucht.

Zij reden nevens grote korenvelden, met rode papavers en blauwe korenbloemekens aan den boord.

Soms kwam een adem wind over de aren gewandeld, en dan gleed er op het gele koren een biinking van bleek goud.

Een haas schoot schuins over den weg en daar in vers omploegde voren, tussen witte kiekens, kraaide een groene haan.

Duiven toerden boven de hoeven en waren nu eens zwart en dan weer wit, en soms hun vleugelen doorzichtig in de zon.

Dien morgen was er ievers een koekoek.

Marieke lachte, en het tippeken van haren witten halsdoek bleef achteruit staan en klappertrilde van den wind en van het rijden.

Met scherlings op het paard te zitten en door 't geschok, waren hare rokken hoog en hoger geschorst, en alzo zag Pallieter, ten volle uit, haar blote benen en boven hare rechterknie den witten garen kant van hare broek.

En dat deed hem het veld en de alderblauwste lucht vergeten.

Hij kost er bijna niet van spreken, en zijn hart sloeg er een klopken rapper van. Hij werd er heerlijk en uitbundig van, en hij boog zich naar de korenaren, trok er een handsvol uit met wortel en al, en draaide er mee boven zijnen kop.

Hij riep 'Dju, dju!' en Beiaard versnelde den pootslag en rok zijn lijf wat langer uit.

't Werd een rappe rit nu op den malsen weg, die kronkelde en keerde lijk een Ardeensen waterloop.

Beiaard hong er in 't keren scheef van, en Marieke wrong de manen rond haar handen en giechelde van 't lachen.

Zo kwamen zij op de veldhoogte vol met groen en graan.

Daar hield Beiaard stil, en versloeg zijn dorst aan ene beek.

Marieke keerde zich om tot Pallieter en was buiten asem, hare boezemkens gingen rap op en neer, zij kost er bijna niet van spreken, en dopte het zweet met haar halsdoeksken weg.

Zij bezag Pallieter voldaan, en hare ogen werden groter

dan anders. Hij tikte op haar handen en wees haar de vier torens die men van hier kon zien liggen: Duffel, Mijlstraat, Huut en Mechelen.

Nu lag de Reinaert ver vandaan, heel ver achter de bomen aan den achtersten Nethedraai.

Van hier gezien was 't Netheland weeldrig en uitverkoren als een borst der aarde.

De korenvelden, en bruine en groenbeplante grond, met hoeven en hoge bomen er op, zakten verdeeld in ongelijke vierkanten naar de lage beemden, die zonken in de Nethe, en aan den overkant rees de grond er even vruchtbaar uit, maar was onzichtbaar door het hevige licht der zon.

Het licht hing in het dal gelijk een dichte wind, en Pallieter en Marieke konden slechts met één oog toe en één oog open de uitgestrektheid zien.

En met zijn platte hand het dal aanwijzend zei Pallieter:

'Dat is man beste kamer! Man salon! De loecht is man plafon, de zon man horloge, het gers is man tapijt, de regen man gordijnen, mor... man bed is zonder vrijw!'

Marieke werd rood, glimlachte, zag eens zonder dat ze 't wilde Pallieter rats in zijn ogen, en zag dan naar omlaag.

Pallieter had het gezien, het zei hem meer dan genoeg, en het was alsof men hem een poort opendeed vol riekende appelen.

Zo was er dan een stilte rondom hen, terwijl in ieders hart het grootste ding gebeurde.

Maar ineens kwam er van uit de klere lucht een geweldig geronk. Zij zagen beiden naar boven en, God! heel hoog in de hevig-blauwe lucht hong een wit eendekker-vliegtuig, dat met groot gesnor, effen als op water, door de lucht schoof.

Met beide armen er heen wijzend, liet Marieke een kres, en Pallieter zweeg van aandoening lijk een steen, hij vloekte binnensmonds van bewondering, werd wit lijk melk, en er kwam een traan in ieder oog.

't Was toch schoon: gracielijk als een reiger, zonder schok of stoot, veerde het kalm door de lucht, met zijn vleugelen en zijn staart schrilwit op 't warme blauw.

De lucht was vol stalen geronk, en al de mensen in het dal liepen van hun werk en uit hun huis, en zagen naar omhoog.

"Nen engel heet er ni aan,' zei Pallieter stil.

'Neeë,' zei Marieke, 'ik kan man oege ni geloove!' En zwijgend volgden ze, met het keren van hun hoofd, de wending van zijn vlucht.

Het was alsof er iets heiligs over de wereld kwam. De duiven schoten verschrikt weg, en overal waren stemmen van roepende mensen.

Maar ineens scheen het vliegtuig als stil te staan, lijk doet een valk als hij zoekt; 't deed een zwenkende beweging, sneed sierlijk een halve ronde over de landstreek en dan ineens met lenige lijn, stak het van uit die duizelingwekkende hoogte recht naar beneden en kwam, schoon gelijk een kraai, in de weiden aan den overkant der Nethe.

De koeien, die er gerust te grazen lagen, sprongen verschrikt op en liepen in grote verwarring weg; er waren er bij die al waterend weghuisden, met de poten uiteen en den staart recht omhoog.

'Kom!' huilde Pallieter.

'Mor 't water!' riep Marieke bevreesd.

'Water, water, water! Over het water! Dju!'

En hij gaf Beiaard twee stampen, greep naar den toom en raffel! daar holde Beiaard er van door, recht vooruit.

Het paard werd lang, de poten raakten bijna geen grond meer, en de manen en de staart stonden achteruit; het reed de lucht kapot, en klotten aarde vlogen in de lucht en in de bomen.

Pallieter en Marieke zaten gebogen, hieven zich op om lichter te zijn en de bomen schoten voorbij, het koren was een bleke ritseling, en de grond als een rap water.

Pallieter riep en vloekte maar: 'Dju! Dju!'

Rechtdóór ging de rit, rats door de savooien en de peekens, over de grachten, door elzehout, altijd maar rechtdoor, de aarde dreunde er van, en vogelen schoten op, en kiekens stoven kakelend uiteen!

Pallieter zag eens op. Over alle wegelen en het veld kwamen mensen aanlopen, en dáár, dáár lag de Nethe, hoog en stil.

Pallieter zijn klonen vielen uit, Marieke liet een kres, en Beiaard plonsde met daverend geluid in het malse Nethewater!

't Was lijk een bom die sprong, een lichtgestraal als van honderd hevige fonteinen; het water kwam er van naar omhoog, klotste witte baren open, en smakte en kletste tot op den dijk.

Het water kwam tot aan hun borst en sloeg op hunne schouders.

Snuivend zwom Beiaard in het waterrumoer over, en hief zich met veel moeite, druipend lijk een regenwolk, op den dijk.

Ginder lag het vliegtuig, rondom met mensen bezet, men kost over de koppen lopen, en een macht van waterkletsen verspreidend, kwamen zij er vóór. Het volk stoof verbaasd uiteen, en daar stond het vliegtuig wit en licht, als om met een hand maar op te heffen.

Ze waren twee vliegers, beiden in lederen frak en een wollen pots over de oren.

Terwijl de ene in den zitbak olie goot, vijsde de andere aan de geweldige pereleren schroef.

Pallieter vroeg:

'Hoeveul vraagde oem het Scheld te laten zien?'

De beide mannen lachten om deze vraag, en weigerden beslist. Maar Pallieter blééf aandringen, verhoogde telkens den prijs, tot zij eindelijk toegaven.

Hij wreef in zijn handen en zei: 'Nij gaan we is samen in het rijk der zon.'

'Er is maar voor twee man plaats,' merkte de stuurman op.

Het viel lijk een steen op Pallieter zijn hert.

'Da's spijtig, hé kind,' zei hij, 'mor 'k neem oe dan mee in mijn ziel.'

Marieke was ineens verlegen, en streelde de manen van het paard...

Een der vliegers gaf aan Pallieter zijn lederen frak, en dat zijn broek mestnat was, deerde niet. 't Was fris!...

Hij zat nu achter den vlieger, die het roer hield, de andere trok enige keren aan de schroef, die ineens zo hevig begon te draaien dat ze onzichtbaar werd, en Pallieter kreeg het geweld van duizend winden op zijn neus, de mannen hun hoeden vlogen af, en de vrouwmensen hun rokken naar omhoog.

De schroef brulde, en daar rolde het spel een vijftig meters hobbelend voort, en loste zich weg van den grond zonder dat Pallieter er iets had van gevoeld.

Op een wip zag hij de bomen reeds onder hem, het volk liep van verwondering mee, en ginder, in 't rood op 'n wit paard, reed Marieke op den dijk, zij wapperde met haar zakneusdoeksken, en riep 'Tot straks, tot straks!' maar daar hoorde hij natuurlijk niets van.

Met een geweldige snelheid ging het vliegtuig hoger en verder. Hij zag verbaasd rond over de wereld, die onder hem lag, waar alles ineenkromp en versmolt. 't Was alsof hij zitten bleef en de aarde rap draaiend in de diepte viel.

Er was niets zwaars meer aan hem alsof hij zonder lichaam was.

Hoger en hoger! en overal zag hij de blauwe horizonnen, die zich meer en meer optrokken.

Wat waren de Begijnenbossen, de huizen, de dorpen, torens, velden, en bomen en de Nethe! 't Was als iets om met een vergrootglas te bezien.

Overal was het licht, en vierduizend meters onder hem lag heel de wijde wereld open, schoon en heerlijk en bedwelmend als de oplossing van een groot mysterie.

'Och wat is den aardbol schoen!' zei Pallieter.

Heel de lucht was gevuld met het geluid der schroef: 't was alsof zij er op gedragen werden.

Pallieter zijn ziel groeide van geluk; zo op de open lucht te zitten, een deel van den wind te zijn, doorzinderd en omringd te worden van licht en lucht, en er doorheen te schuiven en te snijden als een pijl, op weg naar iets eeuwigs! Hij was als dronken van ruimte! En daaronder lag de wereld zo schoon en innig van zon en van koleur, zo vol, zo volstrekt, machtig en heilig als het einde aller dingen.

Pallieter was er van ontroerd en zei vloekend: 'Hoe schoen, hoe schoen!'... en dan... 'O dank mijnheerken God, dat gij mij op aarde hebt geblazen!'

Maar in de diepte bochtte, smal en blinkend, de Schelde door de streek, en daarnevens lag een handsgrote, rode plak, en dat was Antwerpen, die grote stad met haar duizend huizen en honderd straten! en ginder heel, heel ver waar de stroom zich aan den horizont verloor, stond de witte, matte blinking van de grote zee! En ginder lag Brussel, Mechelen en overal kleine steedjes en dorpen! Pallieter kost er tien met één hand bedekken en hij zei:

'Dor wone na de mense!... Dor woene ze na, die denke dá z'allemaal gelijk hemme!... Een scheet in een fles! Och, Thomas à Kempis, als g'in e vliegmachien had gezete, oe boekske had duzend kieren iens zo schoen gewest!'

ZOMERREGEN

De avond kwam, en de geur der witte rozen hong in de gele lucht.

Pallieter was stil en smoorde langzaam zijn pijp, terwijl hij, tegen een boom geleund, zijn versgereven hof bezag.

Het grote lucht- en lichtgenot was met den avond in hem bezonken, en nu was er in zijn hart een overgrote kalmte.

De smoor, die uit de schouwpijpen van 't Begijnhof steeg, vervloeide tot een witte lijn, die vóór de vestebomen roerloos hangen bleef.

Drie reine klokkeklanken tampten uit het torentje, en het was alsof er driemaal op Pallieters hert geklonken werd.

Het torentje stond zwart op den ambergelen hemel, en Pallieter slenterde over de vest naar het witte, eenzame Begijnhof.

De grijze schemering trilde langsheen de witte muurkens, en de kasseien lagen bleek. De huizen schenen ééns zo hoog, de deuren toe, en de stilte vulde de straten... Slechts twee zwaluwen scheerden sjirpend heel hoog in de lucht.

Pallieter ging op zijn tenen, bleef luisteren naar de stilte, en ging de kerk in. Er was niemand. De glimmende stoelen stonden ernstig op roten, en de godslamp was als een oog. Hij zette zich neer, en deze ongebroken geruchteloosheid deed hem van vrede de ogen sluiten. Zijn ziel opende zich in hem en al het andere was als een vergeten droom... zo zat hij.

"'k Heb God gevoeld, mor 'k blijf toch mens,' zei hij.

Als hij buiten kwam, was het geel uit de lucht, en hongen er grijze wolken — maar de dag was nog niet dood.

Bij Pallieter stonden al de deuren open, en het was binnenshuis nog donker. Er was niemand...

Onder het afdak zag hij het punt van de zware zeisen glimmen, en hij kreeg een verlangen om er mee te werken. In den hof sloeg er een merel nu en dan een regel blijde klanken uit, en Pallieter zei: 'Da's regen.'

Hij ging maaien in het peerdebeemdeken. Hij wette het staal en het klonk verweg in den kalmen, zwaren avond. Hij scheerde de zeisen door het gers, het gers viel om, en het staal ronkte.

Pallieter had bij het maaien grote bewegingen, en stond groots en donker afgetekend tegen het bleek licht van den uitgestorven dag, en het licht ging van zijn zeis niet af.

Er kwam ineens een geritsel door 't gers en in de schemering zag hij een tuil gele bloemen, en wit daarboven het hoofd van Marieke. Hij was blij, en zij kwam nader, zeggende vol bewondering: 'Het was of dat er 'ne reus on 't maaien was.'

'Mak is rieke,' zei Pallieter en hij duwde zijn gezicht in de malse bloemen.

'Ze zijn vor ij,' juichte Marieke stil.

'Ik riek er oe zieltjen in, och kom...' en hij nam de bloemen in zijn arm en zag haar dankend aan. Hij voelde zich als een kind.

'Kom,' vezelde hij, 'lot ons neerzitten, en vertelt is, wor ge die geploekken hed.' Hij zette zich neer in 't afgemaaide gers en lei den ruiker open op zijn schoot. Zij zette zich nevens hem en vertelde traag, dat ze met Charlot naar het veldkapelleken van Sint Anneken was geweest om te bidden; onderwegen had zij bij een boer die schone bloemen gevraagd, omdat hij, Pallieter, zo dikwijls naar hun honingreuk verlangde.

Zij zwegen. De bomen stonden stil en, van uit de donkere keuken, kwam luid rozekransgeprevel van Charlot.

Ineens zei Marieke verschietend: 'Een lek, het regent!'

Pallieter hield zijn hand open, en, na wat wachten, kletste er een grote koele druppel op. "t Is goed gelak gesmolte boter,' zei hij.

En uit de onzichtbare lucht viel er langzaam, nu en dan, een grote regenlek. Dan hier en dan ginder. Zij hoorden ze op de bomen openkloppen, voelden ze op hun hand en op hun neus komen, en in de geplukte bloemen versmachten. Nu eens kwamen er wat meer, lijk met een volle hand uitgestrooid, dan was het weer stil, om na enige hartkloppingen, weer hier en daar er een te horen vallen. Elke lek kreeg een bijzondere waarde.

De bloemenreuken schoten los en vloeiden langzaam, omwentelend rondom hen, en de merel in den hof stootte helderdiepe klanken uit een gladde keel. 't Waren klankslagen van wellust, de deugd van 't lavend water op zijn lijf. 't Scheen Pallieter dat de zotte vogel met een van de aangename waterlekken in zijn bek aan 't zingen was, zo brobbelden, dansten en klotsten de klare noten in het rond. Er waren klanken bij, waarop hij zoog en smakte, ze weer inhaalde, en dan als een glad bolleken kristalhelder uitspeekte.

En 'Wees gegroet Maria' ging het maar gedurig in de keuken. Haar gebed was als iets dat groeide.

Pallieter vong met zijn tong een lek van zijne lippen, en zag naar Marieke, en zei ontroerd:

'Is dezen avond na ni oem te smilte, Marieke?'

Zij zag hem aan en zei niets. Hij nam haar hand, die nat was, en verborg ze onder zijn tien vingers.

'Och Marieke!' zei hij, en hij had haar hand kunnen kraken, want zijn hart kwam omhoog van liefde, 't was alsof zijn ziel moest losbarsten.

Hij trok haar meer tot bij zich, maar zij boog het hoofd en hij zag niets meer van haar gezicht.

'Marieke,' zei hij nog eens in een zucht. Maar zij verroerde zich niet en zweeg. En de grote regenlekken tokten langzaam op de blaren en de merel haalde fluitend het laatste steeksken licht uit de lucht. Maar in de keuken viel het stil, en plots schoot het venster vol geel licht, en Charlot riep aan de deur: 'Komt algijw binnen, het regent, en het eten is bena gereed!'

Marieke trok haar hand uit die van Pallieter, stond op, en ging zonder iets te zeggen weg.

Pallieter bleef, versmacht onder het gelukkig gevoel dat Marieke hem ook liefhad, liggen, strekte zijn benen uit, en liet den malsen regen als een balsem en bedwelming op hem neerkomen.

DE WALKUREN-RIT

Het was stikheet en laf. De zon brak den grond vaneen, de legumen stonden als in arduin, en flets gelijk een schotelvod.

Pallieter zat met Marieke tussen de blauwe lommerte van zonnebloemen en vlieren, versgeplukte kersen te eten uit zijn strooien hoed. De vlier rook geweldig, en de zonnebloemen zongen van de hommelen.

Pallieter stond eens recht om zich te rekken, en riep:
'Mitteke zie na toch da' licht, da' licht! het is gelak muziek!'

Marieke stond op, en bezag het schril-verlichte land, met de hand voor de ogen.

Er roerde geen levende ziel en er leefde geen steek. De hitte lag te denderen boven de wegen lijk boven een stoof, en de stilte stond lijk lood over de wereld.

Pallieter zag hoe kostelijk de zon op Marieke scheen, en hoe gezellig de rode kersen, die hij als koralen bellen aan haar oren had gehangen, bij haar aangenaam gezichtje deden. En als ze zag dat hij haar bekeek gilde ze, wippend met haar lijf: 'Wille we nij is gaan vere?'

'Oem ter ierste on de Neet?' riep Pallieter en zo hard ze konden, liepen ze beiden door den hof de licht-klaterende velden in. Ze waren er even rap, en Pallieter hief Marieke lijk 'n pluimken op den dijk.

Ze stapten in 't schommelend schuitje, wanneer de vette stem van Charlot riep:

'Mor, zijde gelle zot van in zo'n heette gon te vere! Et liever nog wa kezze!'

'Wij ete zon!' riep Pallieter terug, en na twee sterke riemslagen lieten ze zich tijmee drijven door het bakkersovenwarme land, dat ze nu rondom hen in al zijn vinnige verlichting zagen openliggen. Marieke zat van achter, Pallieter van voor, en ze lieten hun handen in het lauwe water hangen.

Ze zwegen, en zagen van tijd tot tijd eens, als bij verrassing, malkander in 't gezicht, en dan was er een glimlach op hunnen mond en een lichtje in hun ogen. Ze vaarden onvoelbaar verder en zagen traag de voorste velden en bomen voorbijschuiven, terwijl de einders en de verre hooioppers meewandelden. En over dien groten landlap hing geen zucht. Marieke was die stilte zo zwaar dat ze vroeg:

'Speld is e lieke?'

"k Hem ma' fluitje ni bij!' zei Pallieter.

'Wel zingt er dan ien!'

En hij zong: 'Daar waren twee coninkskinderen.'

'Er is mor da verschil,' zei Pallieter als 't gedaan was, 'dat Charlot, die oude kwene, er nog vier lichtjes zij bijzette, omdat de joenge ni zij verdrinke.'

Marieke kreeg een rood koleurken.

Maar daar zag Pallieter aan den omdraai, roerloos als een stenen beeld, een visser staan hengelen met de lijn, en hij riep:

'Dieë sto weer te wachte, nor iene dien hem noet ni hee gezien!'

De visser zag eens onverschillig op, en sloeg rap zijn ogen terug naar het rode stopje.

Ze vaarden verder, en Marieke juichte ineens, naar de lucht wijzend:

'Dondertores, dondertores!'

En waarlijk, langs alle kanten achter de blauwe, bosbelijnde aardeinden rezen dikgevulde, smalle wolken met koppen naar omhoog. Het waren lijk ruwe pijlers waarop de blauwe hemelschedel rustte.

'Zijde bang van donder?' vroeg Pallieter.

'Ikke? Och neeë, ik hoor het geren!'

'Sessa, dan gon w' is kerremis viere! Lot ze mor kome!' en hij wreef, met 'n rijken glimlach, in zijn handen.

Een schaduw liep ginder over de vinnige helderheid van het veld, en lei op een omzien de wereld in den halven donkeren. Ze vaarden verder, en terwijl begonnen de hoge wolken in de lucht dooreen te wroeten, en die witte trotse kolommen zakten ineen, werden verkneed en uitgetrokken en weer bijeengemengd tot loodgrijze lappen, die het blauw van den hemel sloten, en 't was lijk een groot grijs tentzeil dat over de wereld stond gespannen.

Er kwam een felle rukwind die het zand der wegen achtereen in hoge wolken deed voortlopen. De bomen klaterden en huilden; lijk witte papieren waaiden de duiven op de donkere lucht, en een klad kraaien liet zich lijk een hoop zwarte vodden naar den toren zwieren.

Maar ineens viel de wind, en er kwam een plotselinge stilte die het hart deed ophouden met slaan. En ginder over de Nethe, in de mauve-donkerte, vlamde een rode slingerslang langsheen den horizon, en dof rommelde achter de wolken een aarzelende donder de wereld rond. Uit de verre hoevekens kwam licht pinken van gewijde keersen.

Langs drie kanten, hoger in de lucht nu, vlamde de weerlicht, donderbommen kraakten los, en grolden en dommelden dat de aarde erbij schudde en beefde.

"'t Is er oep, 't is er oep!' galmden Pallieter en Marieke. Daar vielen de eerste, grote lauwe druppels op hun dunne kleding. Ze pletsten koel op hun doorwarmd vlees en 't gaf een diepzinkende deugd. En ginder over de verre hoeven schemerde het landschap weg achter een stuivende regenvlaag, die haastig kwam afgezakt, en meteen kletterend op het water kletste. Het zeek water en op 'nen sibot waren ze mestnat. De regen stortte met kuipen overal op het land, de smoor stond er een meter van boven den grond; de bliksems flikkerden, haakten ineen, slingerden door malkaar en de donder kraakte en ratelde, dat er horen en zien bij verging. Een boerin liep met de rokken over haren kop over de velden, naar een mutsaard.

Maar Pallieter en Marieke lachten van genot; het water vloeide zo maar over hun gezicht, dat ze blonken lijk een spiegel.

Ze vaarden verder en kwamen aan de weide, waarin de

peerden en de koeien van den mulder onrustig te loeien en te stampen stonden.

Pallieter kreeg ineens een stralende gedacht.

'Aan land, aan land!' riep hij.

'Woroem?... Wat is 't?' vroeg Marieke.

'Te peerd of te koei, hop!'

'O, da's goed, da's goed!' juichte ze, en beiden sprongen aan kant. Pallieter zette Marieke op een grote gele merrie.

'Houd oe vast bij de mane!' riep hij, en hij sprong op het eerste beste paard, kletste met de vlakke hand op het achterste van het ongeruste dier, dat ineens lijk een pijl uit den boog vooruitschoot, gevolgd door al de koeien en paarden, twintig in getal.

En die massa galoppeerde vooruit in den kletterenden regen, als een stuk levende aarde. Marieke hield zich vast aan de weelderige manen der steigerende merrie, en lachte heldere gillen uit. Pallieter zat los op zijn paard, zwierde met zijn armen, en huilde uit zijn sterke keel het schetterende horenlied der Walkuren van Wagner. Het klonk lijk een trompet.

En het donderde, weerlichtte en regende alsof het laatste oordeel gekomen was. En daardoor draafde de hinnikende en loeiende blok peerden en koeien blindelings vooruit, als ene macht die alles ging verwoesten. En de grond dreunde, bonkte en kreunde onder het zwaar gewicht, en de klotten aarde vlogen over de hoofden der schokkende lijven.

Marieke heur natte haren waren losgeschud en vlogen van 't geweld als een waaier uiteen. Pallieter wist zijn rijdier te doen zwenken, en sneller slingerde zich die massale klomp vlees vooruit als een geweld tegen het geweld des hemels in. Maar boven het geloei, gehinnik, gedonder en gestamp, schetterde geestdriftig de 'ta, ta, ta, ta!' van Pallieter overheersend los. 't Was geweldig!

En als het vlugge onweer minderde, hield Pallieter in, en de logge massa bleef staan, dampend en blinkend in den versen helderen zonneschijn, die tussen de uitgegoten wolken gulden over de aarde bunselde.

En een schoongekleurde vaste regenboog spande triomfantelijk over heel de wereld. Pallieter, nog op zijn paard gezeten en nat tot op het vel, zag naar Marieke, die lekkend van den regen, met losse haren, ademhijgend en stralend van geluk en levensgenot, van op hare reusachtige merrie naar hem glimlachte.

Hij zag door de natte, witte mousselinen kleren, die klaar op haar rozig lichaam plakten, hare fijne vormen afgetekend, de lijnen van de heupen en den bil, en hare jonge, nog rechstaande borsten.

Hij zag haar daar zo gelukkig en zo groots en wit tegen den donkeren groten hemel staan, met achter haar het blinkende, lichtgroene zonlandschap met bomen, huizen en molens, en boven haar hoofd den machtigen, breden regenboog.

Ei! wat was dat schoner dan schoon! En toen werd zijn hart geroerd; hij dreef zijn paard tot haar, nam haar plotseling in zijn armen, en riep:

'Gij wordt mijn vrouw, mijn honingzoete vrouw!'

En Marieke sloeg, met een langgedragen zucht, haar natte armen rond zijn forsen nek, bezag hem lang met haar grote ogen, en vroeg eenvoudig maar gespannen:
'Wanneer?'
'Binnen de vier weken!' jubelde hij, en hij gaf haar een langen, natten kus op haar lippen en haar witte tanden.

Charlot zag nog bleek van schrik voor den groten donder en verblijdde zich zeer als zij hen zag.
'Is man bed bried genoeg veur ons getwieë?' vroeg Pallieter.
'Wa wilde zegge...?' en zij zag met schrik en met verbazing hoe Marieke in Pallieters arm leunde.
'Ik trijf mè Pallieter!' juichte Marieke.
'Gij, gij?' riep bibberend Charlot, 'gij, m'n petekind, mè Bruur?... Gij?... Och, Jezus, Maria, Jozef!...' En ze viel Pallieter aan zijnen hals, en weende hardop van geluk.
En dat kwam aan Pallieter zijn hart, en hij pinkte, beet op de tanden om de tranen binnen zijn ogen te houden, maar hij kon niet, met den besten wil van de wereld.

MANESCHIJN

De boer van de Waterschrans had 's zaterdags zijn laatsten wagen hooi binnengehaald, en nu 's zondags, was het daarom wafelenfeest met gesuikerd bier.

Pallieter was er bij met Marieke, en zat met de knechten, de meiden en de familie rond de grote ronde tafel. De deuren en vensters van het huis stonden wagenwijd open voor de hitte. Op de velden en de weiden rondom stak het verblindend noenlicht tot in den grond, terwijl het in de lage kamer blauw gedempt stond tussen witte muren en koperen stopen. Er was daarbinnen een lachen en klappen als in een rumoerig kiekenkot, en de grote, rode handen grabbelden gulzig naar de dampende gele eierenwafelen, die met torens werden opgebracht. Zij veegden er suiker, siroop en boter op om al de zoetste smaken ineens te hebben. Het zweet plakte lijk perels op hun voorhoofd, en om zich te verkoelen dronken zij maar aanhoudend van het bruine troebele bier.

Elk deur- en venstergat was een helle schilderij. 't Waren bleke wegen door 't koren en het groen, hier en daar een Netheglans, rode daken tussen volle bomen, koeien in de weiden, witte kapellekens aan den weg, bossen en rustende molens in de verten, en duiven in de lucht.

Er waren boeren bij die niet omzagen voor een dozijn wafelen, en altijd nog even appetijtelijk de smorende keuken binnenzagen. Hun mond en handen plakten van vet en konfituren, en zij gaven zich den tijd niet om hun neus te snuiten.

Lijk korenten die mee bij de zoete spijzen behoorden, zaten de vliegen over de tafel heen verspreid.

Bij Pallieter kon de wafelengoesting maar niet weggaan, en al etende zocht hij nu eens naar den kaneelsmaak, den eiersmaak en naar de boter; hij vulde zijn neus met hun lekkere geuren, en kraakte nu al zijn elfde wafel vaneen.

Al etende zag hij met blijde verwondering naar het bezonde, kalme veld, waarover een klein kloksken luidde, naar de rode, gulzige smoelen der boeren, en naar zijn allerzoetst Marieke. Hij neep onvoorziens in hare heupen, dat zij opsprong en giechelde, en onder tafel omstrengelde zijn been het hare. Zijn gezicht blonk van het zweet en van het wafelevet, en zijn handen plakten van den suiker.

En nadat zij met hun getwintigen zo omtrent een honderdvijftig wafelen hadden binnengespeeld, werden de schotels en pinten weggehaald, en bracht men Franse en jenever. Nu werden de pijpen aangestoken, en een vlakke smoorwolk dreef seffens boven de koppen.

'Liekes, liekes!' riepen er stemmen, en Pallieter begon te zingen van 'De visscher van Blanckenberghe', en bij het refrein wiegde breed de mensenkring, arm aan arm, al zingend over end' weer.

Als 't lieken uit was en iedereen van 't schudden en touteren in 't zweet stond, moest Marieke zingen. Ze stond recht en zong met aangenaam, hier en daar wat haperend stemmeken, van 'De Klepperman'.

Pallieter onderlijnde met de lippen zijns monds het lied met fijn gefluit, en bij het refrein: 'en de handjes gaan van tikke tikke tik, en de voetjes gaan van tokke tokke tok, en hij doet zijn eersten ronde...' klopten en sloegen hun handen zo hard als leren zwepen en de voeten lijk hamers. Er waren boeren bij die er voor recht stonden, om heel het gewicht van hun zware plompe schoenen op den vloer te laten bonken.

Ze moesten lawijd hebben, mee kunnen zingen en heel hun lijf bewegen. Zo kreeg ieder zijn toer en telkens waren het liederen met refreinen die iedereen kende, en waarbij ze konden dansen, springen, stampen en slaan.

Ze stonden in hun zweet lijk in een kleed; hun hemd plakte tegen hun billen, hunne keel werd er schor van, en ze dronken den Franse en den gepeperden jenever lijk water.

'Wie kent er e schoe vertelselke,' riep een dikke meid, 'iet veur mee te lache!'

'Ik!' riep een boer. Al de koppen staken bijeen en iedereen luisterde, met den glimlach al op den mond, terwijl zij hun borreltje vasthielden, en een vrouw namen in hunnen arm.

Het boerken vertelde een zeer fijn dubbelzinnig verhaal van 'nen koster en de pastoor zijn meid. En wie van die daar zaten kende er niets in dien aard?...

Als 't slot van 't vertelsel de handen naar den buik deed pakken van 't lachen, wilden er velen de eerste zijn om er 'nog een beter' te vertellen. Zo ging het ene verhaal na het andere, in dubbelzinnigheid vermeerderend, zodat men de kleine kinderen van den boer buiten deed gaan spelen. Het werd zo hevig dat velen met hun vertelsels niet meer wachten konden, en men langs drie, vier zijden tegelijk begon.

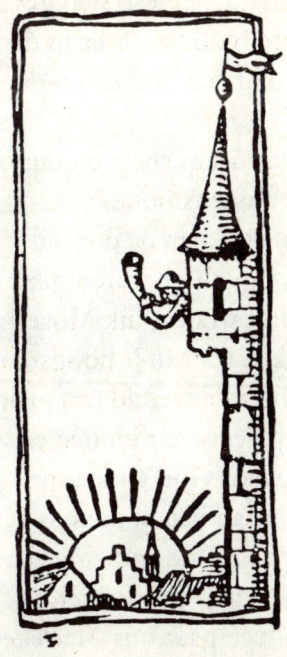

Pallieter bleef niet ten achter, en Marieke zat, terwijl ze gebaarde niets te horen, een Ste Anna's kat te strelen en stukskens peperkoek te geven.

Het gelach botste bij elk einde tegen de zoldering en,

spijts het vermanend Godsoogkadertje: 'hier vloeckt men niet', rolden smakelijke vloeken uit hun mond, uitingen van oprecht en vol plezier en geprikkeld genot.

Maar er kwam een gouden wind van over de velden de kamer verkoelen, en het machtig licht van het land verinnigde zich tot een kalmen koperen schijn, en de zon zonk rood lijk een vlam achter een verren wolkenberg. Door de deur kwamen de platte zonnestralen gevierkant, en een gedeelte van het boerenvolk werd er in de blauwe kamer rijkelijk mee beslagen. Toen begonnen de vlieren aan 't venster te rieken.

Pallieter ging eens naar achter en zag over het land en in de lucht, en hij zei binnensmonds:

'Da weurdt 'nen aved van de duzend.'

De zon was al weg, en er waren geen schaduwen meer, maar vele brede witte stralen, lijk Mozeshorens, staken nog door de pluimwolken tot aan 't hoogste van den hemel, en het was alsof er achter de wereld een grote heilige stond.

Verblijd ging hij weer naar binnen en zei tot Marieke:

'Kom we gaan, want God ga klappe.' Ze stonden op en wilden heengaan, maar het boerenvolk wilde er niet van weten en smeekte en praamde om nog een uurken te blijven.

'We mutte gon vrije,' zei Pallieter, ''k mut man best doen, want overmorge gaat ons Marieke nor huis.'

Dat verstonden ze, en iedereen wilde Marieke nog 'nen goeiendag zeggen en 'ne pol geven.

'Ze komt vroem oem te trijwe!' zei Pallieter, 'en dan komde allemaal oep de fiest!'

Daarop begonnen ze allen gelijk te zingen:

'Zonder ons Marieke kunne wij nie wezen,
Zonder ons Marieke kunne wij nie zijn!'

't Was buiten nu een aangename lucht met velerhande geuren...
Zij wandelden arm in arm langs den Nethedijk, en zwegen geroerd door den innigen avondstond.

De late zondagmiddag hong vredig, kalm en stil over de duizend hooioppers, die riekend in de wijde beemden waren.

Over de Nethe, aan de verre witte huizekens, was er traag harmonikagespeel, en een grote klok hommelde voor 't avondlof. Op den Nethedijk, en in het hooggetijde-water zuiver weerkaatst, gingen twee kinderen, een in 't rood en een in 't wit, met hun armen vol paardebloemen, en een zwert spitsken liep snuffelend achteraan. Het licht scheen uit den grond te komen.

Er waren veel vogels, hoog in de lucht, en de dunne, grijze wolkklissen verroerden niet. Het gras stond stil in den lagen avonddamp, de populieren stonden stil, het water en het licht. Het leek, alsof de tijd aan 't wachten was om voort te gaan. 't Deed vreemd aan 't hert. Maar achter een lange, magere root klepperbomen op den veldbuik, hief in dezen vollen vrede de dikke rode maan zich op.

't Was alsof ineens de wereld groter werd en met een nieuw, kinderlijk geluk omhangen.

'Ach,' juichte Pallieter, "'t is oem te kniele!' en uit zijn lood geslagen bleef hij staan, alsof het de eerste maal was dat hij de maan ontwaken zag. Dat was het wonder nu, waar de tijd naar wachtte. De avond werkte voort. En dan kwamen de vleermuizekens...

Een grote klad kraaien wiekte lui en krassend door de lucht en viel uiteen in de verre Begijnenbossen waar het reeds donker was. Honden basten naar de maan.

Zo stierf de dag.

Zij wandelden verder. Zij lei haar hoofdje op zijn schouder, en ze kwamen aan de Palinggracht die uitloopt in de Nethe. Een houten bruggesken hield zich aan de boorden vast, en een overgrote, oude treurwilg daarnevens hong er zijn dichten koepel over, die tot in het water stak. Zij trokken de takken op zij om er in te komen, en nu was 't alsof zij in een kamer stonden.

Het was hier als een heiligdommeken, gevuld met jongen houtsapreuk. Vóór hen liep de Nethe, lagen de velden en weiden, en stond fijn geel geworden de maan, in een blauw-grijs groeiende lucht. Het was er zoet, en hunne hoofden kwamen bij malkaar, en hunne armen steunden op de bemoste brugleuning.

Een kort windeke ritselde over de Nethe, nevens 't riet af, en 't regende ineens maan op 't water, maanblaaskensregen. De wind liep er schuins mee verder, en dan stond wederom, kinderlijk zuiver als de ziel van een heilige, de manerondte roerloos op het watervlak.

Een uil wiekte laag over en verschool zich in het oeverriet.

Ze stonden in deze donkere takkenklok als verwijderd van de maanbeschenen wereld, en heel hun hert en ziel zwol in deze stille vereenzaming.

Pallieter omprangde haar vaster, en kuste haar zonder ophouden, op de malse kaken, op den natten mond, de toeë ogen, dat zij er hals en lijf van rok. Zij was als weggesmolten in zijn hartstocht, en liet zich hangen zonder wil in zijn sterke armen. Door de takkengordijn stak de maan heur onvatbare klaarte, en lei bleke strepen op heur lijf en aangezicht. Pallieter bezag haar zo. — "Nen droom!" zei hij bewonderend binnensmonds, en zijn lippen gleden over heur haar en heur gelaat; hij had haar kunnen breken, en gelijk deze blarenkoepel zijn holte van de wereld afsloot, en alleen belevendigd was met de ziel van den ouden boom, zo was Pallieter nog maar enkel levend omdat hij daar op den grond stond, maar bleef toe voor al de herinneringen van vroeger en de gedachten van morgen en de andere dagen. Ze zeiden geen woord. En de natte kussen lispelden stil en lang onder den koepelvormigen boom. Zij opende ineens hare grote, schone ogen, en zag hem lui en groot-gelukkig aan, ze bezag hem lang, en dan, zonder één woord gezegd te hebben, gingen heur ogen voldaan weer langzaam toe.

Die blik ontroerde Pallieter diep, zodat hij 't water ervan in de ogen kreeg en een rillingsken over zijn lijf. En weer ging zijn mond op haar mond, heur hoofd op zijn schouder en heur armen rond zijn nek. Hij, tegen het bruggesken geleund, hief haar op van den grond en droeg haar in zijn armen lijk een moeder heur kind.

En daar buiten over de nevel-blauwe landen groeide de maannacht witter en ijler steeds, alsof het een droom ging worden van een kind. Reuk van water, hooi en vlier hing maar voor 't scheppen allerwegen en in het dichtbije geboomte van 't Hofken van Ringen viel nu en dan een gebroken perelsnoer van nachtegaalklanken.

Mee tot de grote stilte vergroeid was het aanhoudend gesjirp van een krekel... Zij zagen om naar houtgepiep en watergedruppel, schoven de wilgetakken op zij en zagen daaronder op de Nethe een visser in een bootje zijn net optrekken, waar, in de maan, een spartelende vis zilver opblonk. Klein was zijn werk, maar schoon in den gouden nacht.

O! de schone witte nacht dien ze nu, als van uit een open venster, voor hen zagen openliggen!...

'Kom, lot ons gaan en manestrale vule...'

Zij gingen van onder den wilgeboom uit, en kwamen nu weer in de open lucht, die zo licht en groot over de klare slapende wereld stond.

De maan was nu zuiver kristal, en het licht dat van haar tot op de aarde en rond de sterren stond, was ijl groenblauw vermengd met melk. 't Was licht nu overal als een bedeesde dag, en ten allen kante zag men de populieren rijzen, het koren glimmen, en de slapende koeien in de weiden liggen. In het park zag men duidelijk de rode beuken en de groene platanen, en als een licht rees te midden van een open plek, op een klimopbegroeid voetstuk, het witte pleisterbeeld van een armloze Venus. Lichte smoor dreef op de beken.

Zij gingen den dijk af, nevens een weide waar hier en daar een koe te slapen lag of met domme ogen naar de maan of over het nachtland keek.

En dan kwamen ze in den beemd tussen de talloze hooioppers die fijn begoten waren met maanlicht. Zij wandelden door de fijne reuken van het hooi, en hunne bijeengedrukte lichamen waren één schaduw op het afgeschoren gers. De maan wandelde mee in een klein, vol beeksken.

'Kom, lot ons wa neerzitte.'

En zij lieten zich in een dikken hooiopper zakken, namen malkaar in de armen, wrongen dieper in het hooi als in een holte, en Pallieter rok zijn benen van de deugd; zij lei heur hoofdje in de molligheid van zijn brede schouders, en zo zaten ze daar bijeengekropen lijk twee jonge konijntjes.

'Wa 'nen heilige nacht,' zei hij stil, en keek ten hemel die van boven tot onder vol maneschijn en bleke sterren stond. De sterren! Zij lagen in den ronde verstrooid lijk wit zand, hier en daar bijeengetresd lijk haar, en sommige helder blinkend en rillend van klaarte.

Al de diepten des hemels stonden open, en lijk een dunne wierook liep de botermelkstraat er over heen.

En uit die lichte, roerloze oneindigheid van werelden schoot nu en dan het korte leven van een vallende ster. Pallieter was er diep door aangedaan en zijn ogen gingen van de ene ster naar de andere, van den Hellewagen naar den Reus, van de Poolster naar de Driekoningen enzovoort; hij zocht de verste sterren, en dan die daar nog achter lagen, fijn lijk het punt ener naald, en als zijn ogen geen sterren meer en raakten, maar den zuiveren nevel van de grote baarmoeder, dan deden het zijn gedachten. Hei! sterren, sterren overal! Sterren boven, beneen, rond en onder hem... Pallieter kromp ervan ineen en zei onwillekeurig: 'Woroem?'...

En ineens, als op zijn lijf gegroeid, droeg hij, zodat hij er 't kiekenvlees van kreeg, de eindeloos besterde diepte der ruimte in zijn hart, en hij zei met een zucht:

'O zaad van God, ge doet me beven... Marieke, Marieke, zie omhoog...' Maar Marieke sliep zachtekens in zijn armen.

'Wa geluk,' zei hij seffens. Hij vond het ook zo schoon, zo één en zuiver met den groten vredigen nacht en een plotse tederheid welde in hem op. Hij gaf haar een pluimlicht kusken van bewondering en ontroering.

't Was te schoon en te innig om het te storen, en hij maakte de ligging van zijn voet over haar been voorzichtig wat lichter, opdat het haar niet zou hinderen...

Hij snoof de verse geuren op, en de maan bedekte twee naar elkander verlangende sterren.

En zie, door den gezuiverden hemel dreef nog een eenzaam wit wolksken. Het kwam aarzelend verder en 't werd als aangetrokken door de maan. Het sneed er juist onderdoor, en zie, het gleed seffens vol ijle, roze, groen en mauve kleuren en 't was lijk een ineengezonken regenboog die vóór de maan kwam drijven. Maar 't gleed verder, verloor weer plots zijn zoete tonen, wierd wit en dreef aarzelend voort, alleen door den nacht. 't Was lijk een glimlach van den nacht geweest...

De verre nachtegaal zoog voort op zijn klanken en nu en dan kwaakte in de beken een vors...

De nacht nam toe in klaarte; de smoor steeg dichter op uit de sloten, en dampte uit den grond.

De oneindige stilte suisde en 't was alsof men de manestralen schijnen hoorde. Het gers was wak en verroerde niet.

En onwillekeurig, door de stilte en den adem van den nacht gesust, sloot Pallieter zijn ogen, zag nog door de toeë oogschellen de klaarte van de maan die vóór hem stond en hem rijkelijk overgoot, en viel dan in een diepen slaap...

De grote nacht werkte door, en vervulde stilaan zijnen tijd. Sterren bleven vallen, de andere schoven voort, en de maan verstraalde al heur kostelijk zilver, werd stilaan rood en zakte in het westen terug naar beneden, met de ogen naar omlaag.

En zij sliepen den zwaren slaap der aarde. Ze waren met de aarde één herteklop, één asem, één stilte en één leven.

Zij sliepen hoofd tegen hoofd, in malkander verloren en opgenomen, om nat van den dauw, bibberend wakker te worden, als het eerste licht opstond en de smoor nog op het veld en in de hooioppers lag getresd.

't Was dag. De bloemen waren nog gesloten, maar hanen kraaiden, een hond baste, en een koekoek riep van uit het bemiste bos.

Marieke verschoot, en verblijdde zich seffens; zij kneukelde glimlachend den vaak uit de oogputten, geeuwde en lei gelukkig heur hoofdje een wijle terug in den hals van Pallieter.

Ze hieven zich eindelijk op uit de warme plek, lachten om hun klamme, verfronselde kleren en om het hooi dat in hun haren stak.

En luide klappend en zingend, arm aan arm, huppelden ze naar huis, fris lijk salaad, en verlangden naar verse kleren en hete koffij.

Een herder toette op zijn horen en de klokken begonnen te luiden: 't was dag!

DE HONING

De bieënkorven liepen schuimend over van den honing. Heel de hof rook er naar, en nu was Pallieter al een helen achtermiddag bezig met ze te ledigen en den honing in stenen potten te doen.

Charlot hielp hem, werkte mee en droeg de potten één voor één den koelen kelder in. Beiden lekten van het zweet en van de malse honingspijs; ze plakten, en hadden werk om hun vingeren af te lakken. Loebas, de hond, stond er bij, en wat er geklast werd, slabberde hij gulzig op.

Pallieter was uitermate blij om den zoeten overvloed, hij zong dat het galmde, en Charlot hield haren mond niet stil over den honing en het weer. Zij was zo gewarig aan de warmte en zo weinig bang van bieënsteken, dat ze op heur blote voeten liep, in een kort onderroksken stond, dat slechts tot aan haar pilaarrechte bruien kwam, en vrij en frank liet zij heur armen, lijk twee vette kinders, uit de ver opgerolde mouwen van haar rood slaaplijf komen.

Ook had ze haar slaaplijf van boven die knoopkens losgezet, en alzo kwam bloot, onder den halsput, het witte vleeskussen, waarover de vele vettige linten van hare schapulieren kruisten. Den handdoek, die gewoonlijk onder het slaaplijf, haar borsten indrukte, had ze nu afgedaan, en geweldig als dondertorens hongen ze nu in hun volle malse dikte naar voren op den groten buik.

Ze zag rood lijk een oven en zweette lijk een spons.

En ze begosten te spreken over Marieke.

'Mor woroem mut het herfst zijn as ge trijwt?' vroeg ze.

'Dan is het beddeke koel, en dan kruipe we dicht bijien.'

'Och zwijgt,' knorde Charlot, maar een weinig daarna weer zoet, heel met haar eigen ingenomen: 'En ik die altij' doecht begijn te weurre, 'k ben al blij da'k het noet ni geweurre ben, want wa zou Marieke hier zijn, zonder mij?...

'Awel,' baste Pallieter, ''k zal ze bij ij late slape!'

'Da' wil'k ni zegge,' zei Charlot, en hier richtte zij zich op. 'Maar Marieke is ma petekind, en zij zuut, der zal gin haarken aan miskome!'

'Och,' zei Pallieter, halfzingend en tergend. 'Als 'k getrijwt ben, hem'k gin meid nimier noedig.'

En toen schoot Charlot uit: 'Oei, oei, 'k moet hier buite! 'k weur hier weggejaagd, ikke een wies! 'k had het gedoecht! da's veur al mijn goedheid, da's den dank! en da' deur degene, die 'k als kind nog hem gedrage! God, lieven Heer sto ma bij!'

'Kom, kom,' zei Pallieter, haar troostend, ''k was 't vergeten dagge wiezeke waart.'

En daarmee was de ruzie uit en 't werk geraakte gedaan. Charlot sloeg een anderen rok aan, rolde haar mouwen naar omleeg en droeg den grootsten pot naar den pastoor.

Pallieter nam er een voor Fransoo, zijn vriend den schilder, en een voor het arme Gasthuizeken, ook aan den anderen kant der Nethe gelegen.

Hij vaarde een heel eind met het schuitje het water op, en stak toen over, lei zijn boot vast, en met een pot op zijn schouders en met een pot in zijn arm, stapte hij den malsen klimmenden wegel op, en floot een scherp deuntje.

Over de potten volgde steeds een gegons en gestippel van bieën, hommelen en wespen; in een herbergsken ging hij zijn dorst lessen; 't was slecht bier, en als hij buiten kwam, hongen de beestjes seffens weer rond de zoete potten te draaien.

Ginder hoog boven de bomen rees de oude molen op. Hij draaide vreedzaam zijn rode wieken in den kalmen zuiderwind, en liet een koperen windhaan schitteren, en nu de zon zeer machtig straalde was helder het mos dat zo weelderig de zwarte houten romp beplakte en bestreepte.

Het was een schone molen, hij hong wat achterover, hetgeen hem nog vriendelijker maakte en hij domineerde over 't land, trots als een kerk, en was van alle kanten zichtbaar.

Pallieter ging er geren op, want hij had er steeds een schoon gezicht over de bomen en de verten, en genoot er voluit van de lucht en haar elementen: van den wind, die het land verblauwde, en van de regengordijnen, die achter de wereld omhoog schoven en de aarde begoten, wijl ginder de zon uit de donkerheid een molengehucht deed blinken. — Hij kon er zich uren vergapen aan het broeien en groeien der wolken. De avonden en morgenden waren er groter en langer, en de nachten eens zo oneindig. De winters lagen er rondom lijk ware Breughels, en men zag van hier de lente waarachtig uit het zuiden komen, en dan, altijd en overal, in zon en mist, zag men het boerenvolk de goede aarde melken.

Was dat niet Mozesachtig?

Rap klom Pallieter met den honing en de bieën naar de schilderkamer van Fransoo, in 't hoogste van den molen. Fransoo's struise vrouw volgde hem lachend.

De vriend stond half naakt een panoramalandschap te schilderen, in het halve licht dat door de kleine luchtgaten kwam, en waardoor men van 't midden der schilderplaats reeds den wierookblauwen einder zag.

Pallieter gaf den honingpot, liep dan seffens naar een der gaten, en stak zijn kop er door.

Hei! Lucht en licht! Zover hij zien kon was het koren, koren heel de wereld rond, om de dorpen, om de Begijnenbossen, de huizen, de beemden en langsheen de Nethe. Gouden koren overal! En klein en dun en zwart stonden de mensen gespikkeld, die daarin aan 't werken waren.

Dat was het heilige werk van 't koren! Heinde en ver gonsde de pikke, overal draaiden de molens en hier joegen de wieken zoevend en ratelend, met een zweep wind, voorbij zijn verwonderd gezicht. Hei! dat was allemaal om 't brood te maken; het manna dat uit de aarde komt!

En hoog daarboven sloeg de zon heur licht het heelal in.

'Hei!' riep Pallieter tot Fransoo en zijne vrouw, die van

den honing aan 't proeven waren, 'ziet de wereld! ze baart! ze geft zog! Komt, lot ons fieste! lot ons deur 't kore gaan, de eerde kusse en verdrinken in de grond!'

Ze gingen beneden bij den mulder een glasken roden wijn drinken en Pallieter kreeg van Leonie, Fransoo's vrouw, een groten bloemekee van saffraan-oranje rozen; dat was uit dankbaarheid voor zijnen honing, en hij duwde er zijnen neus in, en deed zijn ogen toe van den deugdelijken reuk.

En dan ging Pallieter met Fransoo den anderen honingpot naar 't arme gasthuis dragen. Ze droegen hem elk bij een oor. Zij gingen langs het koren.

Hier stond het nog volop geel te rijpen, voorover gebogen van de zware aren, en van onder bedrest met blauw en rood; dáár waren ze het dan weer aan 't afpikken, een ploeg mannen met luidruchtige bindsters, of een ventje alleen. Heelder plekken waren hier en daar reeds afgedaan, en stonden thans vol schoongereide schoven. En overal hong het hevige licht van de zon als kransen rond, rond de aren, de bomen en de gebogen mensen, en de hitte bibberde daarboven altijd eender als een zenuwachtig water.

Pallieter en Fransoo waren uitgeklapt en zwegen. Ze gingen op gelijke passen voort, altijd achter het stof dat hunne voeten opwolkten; en 't enige geluid was hunnen asem, het kletsen van een korenaar tegen hun gezicht, en het gonzen van de bieën rond den honingpot.

Zo waren zij al een hele tap gegaan, en Pallieter zijn mond was poederdroog van dorst, en hij had een verschrikkelijke goesting naar den smaak van bier gekregen.

Maar ze waren ver in 't land en daaromtrent geen simpel herbergsken. En hij wrong met moeite speeksel in zijn aan leder gelijkenden mond.

Maar na nog een kwartierken gaans, zag hij uit een hollen weg een bierkar koperflitsend komen afgeroteld en hij riep: 'Hoera!'

'Wat is het Bruur?' vroeg Fransoo verschietend.

'We hemme deurst en ginder is bier!' riep Pallieter, 'lot ons drinken!'

En zij liepen dweers door 't koren naar den wagen toe.

'Hela!' riep Pallieter den aanrollenden roden dikken voerman toe. 'Verkoept ons in 'n tonneke bier! We stikke!'

'Alles is verpast!' riep de vent voortrijdend.

'Ta, ta, ta, ik geef oe dobbel winst!' riep Pallieter terug.

'Allé dan!' zei de vent, hij hield het peerd in. 'Neem daar mor e vaatje bock, da kunde seffes drinke. Gade gijlie fieste?' vroeg hij er nieuwsgierig bij.

'Ja!' riep Fransoo, en Pallieter nam een tonneken van de kar en betaalde.

De vent reed voort, en terwijl Fransoo den honing droeg, rolde Pallieter het tonneken met voetstampen voort.

'Mor hoe na gedroenke!' vroeg Fransoo, 'wij hemme gin kraan en ginne pot!'

Pallieter krabde in zijn haar... ''N kraan is niks, mor waar 'ne pot gon hale?'

Beiden zwegen, bleven staan en zagen naar den honingpot. Was die pot nu maar leeg... 'Kom,' zei Fransoo, 'lot ons oep 'n hoef 'ne pot hale.'

'Allé dan!' en zij rolden het tonneken over den witten weg. Zij kwamen aan een korenplek, half afgemaaid, en ginder in den elzenkant zaten er pikkers en bindsters hunnen vier-uren-koffie te schoven. Als Pallieter hen zag, verblijdde hij zich uitermate en riep, hoog zijne armen zwaaiend: 'Hé manne, lot elle kaffe staan, hier is versen bock en as g'n koem geft, meugde ellen buik vol drínke!'

Seffens kwamen zij afgelopen, elk met hun koffekom en wrongen om 't dichtst bij 't tonneken te staan. Met een lierenaarsmes sneed Pallieter de kurk er uit en klets daar spoot het bier er uit lijk bij een waterende koe, maar de kommen wierden er onder gehouden, schuimend gevuld en gulzig leeg gedronken. In het gat wierd er een gauw gemaakte houten tap gestoken, en zo konden ze drinken zonder haast, en liep er niets verloren.

Ze schaarden zich zittend rond het tonneken, en Pallieter dronk zoveel hij kon uit een grote kom, beschilderd met een roden papegaai. Er kwam geen einde aan den dorst; gedurig aan spoot het bier uit het gat, en er werd gedronken en gelachen dat het zweet hen op het voorhoofd perelde.

'Nij nog e muzikske en 't is kèremis!' lachte een meid.

'Allé Araan!' riepen er stemmen tot een te langen, mageren jongen, 'haald a schuiftrompet, dan kunne we danse!'

'Ja!! ja!' riepen ze nu verward, 'w'hemme nog al den tijd! Allé spoed oe! zij rap!' De jongen liep gewillig weg, wijl de meisjes van de pret het uitgiechelden en malkander zotten praat toesloegen.

Ondertussen dronken ze, een oude vent was tapper, en daar kwam de jongen van huis terug, met zijn broeder en een groen uitgeslagen koperen schuiftrompet.

Hij dronk eerst nog een pint van 't smakelijke gele bier, en begost toen, in zijn volle lengte rechtstaande, een langen wals te spelen. De klanken vielen vreemd uit de korenstilte en droegen ver. En zie! iedereen was aan den dans behalve de oude, die voor zich zelf maar tapte. Elke jongen nam een meiske, en de jongens die overschoten dansten met elkaar; zo danste Fransoo met een klein bultig boerken. Maar Pallieter had er het bloemeken uitgehaald; een mollig ding met blote braaien en armen, en een blozend gezicht vol rosse zomersproeten. Ze had ogen vinnig lijk van een kat.

Al dansend drukte hij haar mals lijf tegen het zijn, zodat hij goed al hare vormen waarnam, en zijne handen betastten gulzig hare waggelende heupen, dat zij het uitkreet van de pret.

De dans was uit, en zij zetten zich nevenseen in 't gers, bij de anderen rond het vat. Allen hijgden, en hun boezems gingen op en neer.

Als zij weer eens goed van 't lekkere bier genoten hadden, riep Pallieter: 'Allé gauwkes nog 'nen dans!'

't Was nu 'nen polka. Weer nam hij hetzelfde meiske, en zij dansten dol en wild. Hij drukte haar dichter tegen zich aan, danste uit den danserskring, en dan ineens zette hij haar een beentje, en beiden vielen op den grond; en hij viel op haar als op een kussen, en voelde al de weelde van haar mollig lijf dat schokte van het lachen, en gulzig plukte hij wel honderd kussen uit haar witten hals en van hare dikke kaken. Zij stonden moeilijk op, aan haar uitbundig lachen scheen geen einde te komen en iedereen moest meelachen dat zij niet drinken kosten.

Maar van uit de verte klonk het verschietend toeten op een blikken horen. Dat was het teken dat het rusten was gedaan en met spijt grepen ze hun alaam en pikke en gingen moeilijk aan het werk.

Ze riepen nog enige zotte slagen naar Pallieter en Fransoo, die er opgeruimd vandoor gingen, het tonneken achterlatend.

De twee vrienden gingen pratend verder. Maar het klooster was nog wijd, en Fransoo zei van wat te rusten, want hij was op en hij zweette lijk een gieter.

Fransoo lei zijn dik lijf in het gras ener beek, deed zijn ogen toe, en was seffens in een diepen slaap. Hij snorkte lijk een verken.

Pallieter zette zich nevens hem, smoorde een pijp, zag naar het koren en de klimmende leeuweriken... smoorde nog een pijp, en daar Fransoo niet verroerde lei Pallieter zich ook te slapen.

De honingpot stond tussen beiden in een wolk van honingdieren.

En de twee vrienden sliepen, en boven hen, achter den breden eikeboom, hong de hoge lucht te dansen van de hitte...

Als Pallieter wakker werd was de honingpot omverre gevallen, en was de zon gulden aan 't zinken in een zilveren wolkenstreep.

Fransoo werd omtrent met hem wakker en zei geeuwend:
'Dad hee me deugd gedaan.'

Er wierd gelachen om den pot, waar meer dan de helft was uitgevloeid, en daarna gezwegen om den schonen avond-dag.

De dag kreeg een schone rust en heel de hemel stond vol kleuren-helderheid lijk in de schelpen van de zee.

Zij bleven staan en de avond kwam over het koren, het rood zwol uit in de lucht en elke korenhalm kreeg zacht een roden schijn. Er klom van ievers een hele vlakte hooireuk op, en uit de beken steeg de smoor, die over de droge wegen schoof lijk gulden stof.

Zij gingen terug: 'Ik zol morge 'nen andere pot nor 't gasthuis drage,' zei Pallieter.

Fransoo ging naar zijnen molen en Pallieter naar de Nethe.

Onderwegen kwam hij een kind tegen, dat met een rolbaksken waarin een zak meel stond, van den molen kwam. Hij gaf het den honingpot, en beschaamd, zonder iets te zeggen, liep het rapper.

Er kwam van het veld een hoogopgetaste korenwagen, waarboven een dikke vrouw zat, die een grote witte borst gaf aan heur kind.

De dag was henen, en in de groene lucht sneed de zilveren manesikkel een uiterst scherp streepken. Dáár, groots tegen den hemel geblokt, trokken twee zwarte trage ossen enen ploeg nog door den donkeren grond; de boer er achter zweeg. Er viel een blauw licht over het lijf der dieren heen, en de golvingen van hunnen hogen rug bij elken stap waren als bergen die verroerden. Hun kop knikte zwaar over en weer, en hunne snuiten snoven damp.

De boer scheen nog niet te eindigen, en lei een verse voor. Zijn ploeg blonk spookachtig wit, en zwart en reuzig trokken de twee ossen kalm het voertuig door den grond, die vettig openviel, een weinig glom en enen goeden zalfreuk verspreidde. Uit de omgeklonte aarde steeg een dunne smoor.

En donkerder werd daar hoog boven de lucht, waarin het sikkeltje klaarder sneed. Een dikke ster deed haar oog open.

Pallieter zag weggaande steeds naar de grote ossen om; zij hadden hem het hart geroerd. En als hij in het schuitje overvaarde was er een die loeide in den nacht, en dat deed hem rillen.

De dag was toe en donker, maar het water was nog helder licht, en voerde hooi mee met zijn loop.

En door dien heiligen vrede die het land omhulde, klonk ver het veelmondig gezang van huiskerende pikkers en bindsters. Pallieter had kunnen wenen en zei: 'Neeë! de groete Pan is nog ni helemaal doed. Die dat hoorde zeggen hee gedroemd! Want 'k hem vandaag zan horekes gezien!'

EEN AANGENAME VERRASSING

In den heten zondagmorgen was Beiaard, de witte merrie, aan 't zwemmen in het water van de Nethe. Zij speelde lijk een kind, hinnikte herhaaldelijk en het groene water danste vol gebroken zilver en wemelende zonnescherven.

Pallieter had er deugd van met het na te zien, en werd er ten langen leste zo door meegelokt, dat hij zich gekleed in het water liet vallen. Hij zwom Beiaard achterna, haalde haar in, en wrong zich op den breden rug. Zo zat hij als in een bed, hij opende zijne armen en liet Beiaard maar haar goesting doen. Zo zwemrijdend, zag hij over den lande rond, dat om en om in roereloos zonnelicht en trillende hitte lag verdronken. Over de gele korenschoven, die t'allenkante, in die vinnigheid op rechte roten stonden, kwam er slechts een ekster heengevlogen; en nergens was een mens.

Dat was de rust.

Maar onverwachts begosten in de zonbeschenen stilte de grote Begijnhofklokken te luiden, en de gonzende bonken bleven ronkend hangen op de warme lucht. En daar kwam

Charlot uit den hof. Zij was in 't feestelijk, blinkend satijnen zwart met matte bonen; haar jak had nog grote hespenmouwen, en haar rok was vloeiig lijk een wolk; op heure nieuwe zwarte bindersmuts waggelden, aan een busseltje stijve pennen, botergele bollekens. Zij droeg aan den arm een groen blekken emmerken, van binnen rood, waarin peerkens, pruimen en korentenboterhammen lagen en een bruine bierfles stak. Ze zag er gelukkig uit, en riep uitermate hard:

'Allé Bruur, 'k ben weg! Doe strak veul complementen on Marieke, en zeg da'k e zondag koom!' 'k Zal veul vor ons Luverijke leze da' ge same lank gelukkig meugt zijn!'

'Watte?' riep Pallieter, ''k wil ni gelukkig zijn deur ij, mor deur man eige!'

'En toch zal 'k leze!' riep ze kwawordend, 'en veul leze, zoveul as da'k kan!'

En daarme de draaide ze zich om op haren hiel, en ging zonder omzien rap door naar de kerk, om vandaar in stoet, te voet den beeweg naar O.L. Vrouw van Scherpenheuvel te doen.

Zij ging als ene heldinne beschouwd worden vandaag, want 't was de vijfentwintigste maal, dat zij achtereenvolgens den vermaarden beeweg deed; en te dier gelegenheid, zou zij de hoge gunst genieten, dat men het miraculeuze beeldje op heur hoofd zou zetten. Haar mond lachte, en haar hert was blij gelijk 'ne vogel...

Pallieter zei: 'Beiaard, wij gaan er nor Marieke, maar eest nog wa gaan ete!' Hij liet zich van het paard glijden en zwom naar kant. Het water viel uit zijn broek lijk uit een pomp, hij liep door den hof, maar bleef staan, getroffen door den fijnen reuk en 't schoon koleur der bloemen.

Zie die honderden rozen, vuisten dik, opengerold en opengebroken tot sneeuw of wijnenrood en morgendroos en saffraangeel verbleekt in melk.

Wie dierf er de fluwelen violen tellen, die donkerpurpel, of met een wit en geel kaboutermannekesgezicht, heelder perken vulden? Rond het molenheuveltje prikten de gouden zonnewielen tranen in de ogen, en uit een dikken band van bloeiende geraniums spoot het fonteintje, stralend als een zweerd, zijn peerlenpluim uiteen. Daar als een gekleurd vuurwerk het Japanees gers, ginder franker dan appelsienen, de kelken van het lis, en dan! als om niet te geloven en nooit meer te vergeten, alles overheersend en overweldigend, de uitbundige rode en oranje mastouchen in kegelranken tegen den witten muur en rond de dikke vruchtebomen! Amé! 't waren als vlammen, die opkronkelden en opsloegen uit den grond.

Och, 't was overal de geestdriftige openbersting van het schoonste leven. 't Was als niet voor mensen. En die reuken die een mens zijn ziel vergrootten!

Het was 't begin en 't einde van 't geluk. Pallieter zijn hert werd er zat van in zijn lijf en hij zei met bitterheid:

'Wa veur nen uil kan er nog nor nen hemel verlangen als hem zo iet zie!'

Hij ging eten en kwam terug met zijn doedelzak onder den arm; het was het speeltuig waarop hij 't liefst zijn ziel liet leven.

Hij zwom over, zette zich op Beiaard, en op wandelstap reden zij over de hete stoppelvelden. De zon droogde zijn kleren, terwijl hij, met zijn doedel begeleidend, zong, denkend aan zijn Marieke, de zotste liekens 't eerst.

De ronkende klanken gonsden hoog rond hem op, en waren hoorbaar overal, en menig boerenmens kwam in het deurgat luisteren.

Vóór hem, uit een gracht, vloog een ooievaar luidruchtig op.

'Peterus!' riep Pallieter. De grote vogel herkende hem seffens, en kwam laag boven hem in grote kringen rondzweven. Zijn rode poten hongen lam onder hem aan en zijn wit- en zwarte vleugelen waren rein als versgewassen en blinkend in de zon. Nu eens schoot de grote vogel plots vooruit, liet zich op zijde hangen met een vleugel naar omlaag, steeg hoog op en zakte dan weer roerloos langzaam naar beneden. En mee met den gang van het paard, vloog en speelde hij in de lucht.

De molens stonden met stil kruis, en aan den weg lag een omgekantelde ploeg. Dat was de rust der velden.

Op de smalle binnenwegen gingen er blauwgekielde boeren en witgekapte boerinnen naar het klein klokgelui toe, dat uit een smal parochietoreken kwam, en op den verren steenweg was er soms een wielenschittering van een luien fietser.

Over de stille veldenvredigheid pijpte de doedelzak, juist als een zwerm bieën, die het zingen hadden geleerd. Hij kwam voorbij de weelderige bogaards, waar een grote appelereuk uit de zwaargeladen bomen viel. Er waren bomen bij die kraakten van hun rode en groene vrucht en moesten onderschraagd worden. De lange perebomen waren bronsbruin van de fluppen, bergemotten en boter-, pistool-, kaneel- en suikerperen. Het water liep over zijn hert en hij zei tot de zon: 'Stook maar zonneke, en versnel de zute vruchtedage, dan go man ziel in vacansie!... Geloofd zij, God om de peren en de appelen.'

Hij dronk in een herberg bier en Beiaard kreeg een vollen arm hooi. Van uit de keuken kwam de aangename geur van zondagssoep; Pallieter vroeg een telloorken, en lepelde het rechtstaande in de herberg uit; maar Petrus, die steeds meegevlogen was, kwam verlekkerd door de soepreuk, aan de deur staan bedelen.

Pallieter gaf hem twee frikadellen, en dan vloog de ooievaar weg, hoogopstijgend door de blauwe zonlucht, en liet zich dan voortdrijven op het licht. Pallieter zag hem na in de deur met de jonge bazin, die lachte dat ze schokte.

Hij ging terug binnen, dronk er nog een pint, en gaf er een aan Beiaard. Terwijl de meid zich bukte om een cent op te rapen, zag hij haren schonen bruinen hals, en wip! hij lei een natten kus op het gemollig vlees. De vrouw wilde hem een klets geven, maar weg was hij op Beiaard, en zwaaide met zijn klak al lachend naar heur om.

Het stof wolkte op van den drogen weg. De zon lei op het paard een matten zilveren schijn, en elke boomstam sloeg een blauwen schaduw op het lijf.

Honden lagen te slapen nevens hun ton, en op den weg

besprong een bruine haan een van de vele grijze kiekens; daarna sloeg hij zijn vleugels open en kraaide zo hard hij kon, en 't geklaroen der verdere hanen liep seffens als een ketting over 't stille land...

't Werd noen, en de verlaten velden rilden onder de geweldige hette, en nievers een wolk in 't warm Lievevrouwenblauw der nooit-zo-diepe lucht. Heel in de verte leefde er ievers traag tromgeroffel.

Hij kwam aan enen watermeulen; het grote wiel draaide statig rond, gestuwd door het geweldig water, dat bruisend en stralend lijk kokend zilver opensloeg, en schuimend in een brede beek wegspoelde. 't Was er toch zo fris met den koelen reuk van 't water en de brede bomen rond het huis.

Hij stapte van zijn paard, en hij en Beiaard dronken. Hij lei zich op zijn buik in 't malse gers een pijp te smoren, en overzag het land; het peerd scheerde de klaver uit het gers.

Van uit de brede schaduw gezien, was het licht der velden nog eens zo schril en 't enige geluid was 't scherpe sjirpen van de krekels en de klotsende waterslag.

Niets verroerde, geen blad, geen vogel.

Rond een eenzame hoeve met notelaren bezijds, lagen de koeien te kauwen, en een veulen stond met hangenden kop aan de sluiting van het hekken.

Uit den duivenkijker kwam er een duif, die na wat talmen terug binnenwandelde, en een glazen dakpan schitterde en straalde lijk een brok, gevallen uit de zon.

In de verte leefde nog altijd het tromgeroffel, dat nu eens dichter scheen te komen en dan weer stil te staan, daarna was er vaag harmoniemuziekgeruis bij, met een gegons van zingende mensenstemmen.

'Mor da's verdoeme de processie!' zei Pallieter. Hij sprong op Beiaard, en draafde naar dien kant.

Bezweet kwam hij op den witten steenweg en voor hem spreidde zich een schrale veldvlakte uit, en hoog boven den horizon in 't hete hemelblauw dreef een gele luchtballon.

Pallieter zag den steenweg op; en ginder, in een wolk van zondoorblonken stof, kwam de processie aan.

Pallieter reed hun tegemoet...

Wel een duizend mensen bijeen, die nu, na het zwijgen der muziek, die voorop ging met kruis en priesters in koorhemd en roodgeklede misdieners, luid aan 't weesgegroeten gingen. 't Was alsof er uit den grond een doffe rommeling kwam. Al die mensen, vrouwen, mannen, boeren, begijnen en kinderen, waren grijs van 't stof, dat opwolkte vóór hunne lamme voeten. Hunne rode bestofte gezichten lekten van zwart zweet, en zakdoeken in beekwater gesopt hadden er velen op hun hoofd gebonden. Er waren er bij die het maar lieten droppelen, en als het hun bovenste lip geraakte, het met hun tong weglikten.

De mannen hadden hun frakken uitgedaan en hunne halsboorden weggestoken, en de vrouwen het bovenste van hunne zedige jakken losgezet. Er waren er die dronken uit doorwarmde bierflessen en daarna slijmig speeksel wegspeekten, anderen leien zich op den grond, en dronken aan de meelopende beek.

De moedigsten en de devootsten waren van voor en baden mee, terwijl meer van achter de devotie minderde en men luie gesprekken voerde. Zij die niet mee met den hoop kosten, liepen nevens den weg in het mulle zand, dat hen aanstonds in een wolk omhulde, of wel bleven ze wachten naar de twee gele scheefhangende omnibussen, die achter de stoet kwamen aangewaggeld.

Zij liep wanordelijk ondereen, de processie. Onder de zonnescherm van een begijn ging een ongeschoren achterbuurtjongen, en onder die van een notabel een vuile vrouw met een mager, blètend kind.

Een uitterende jongen, halfdood en geel lijk was, werd meegevoerd in een rolkarreken, en achter hem kwamen er mannen op krukken, en vrouwen met zieke en schreeuwende kinderen, en een blinde.

Hei! die duizend bewegende mensen, met dat ruisen van de bestofte kleren, kindergeschrei, geklap en moe voetgeslef, en dan die flauwe zieke reuk van zwetend mensenvlees; 't was iets ontzettends in dien heten zomerzondag, iets dat men maar zien kon in een droom.

En zo onder dien geweldigen hemel, waarin slechts een gele luchtballon, moesten ze nog vier uren ver, door de blakte van het land, dat heet was lijk een bakkersoven, om kunnen neer te knielen voor het kleine zeer-mirakuleuze zwert Ons Lievevrouwenbeeldje van Scherpenheuvel.

'Hei!' en Pallieter rilde van ontroering en kreeg tranen in de ogen, die mensengolving daar te zien, zo vol geloof en zielebrand.

Maar daar zag hij Charlot, die hem blij toelachte, omringd

van kwezels en begijnen, en toen viel zijn ontroering lijk een lege zak; want seffens dacht hij aan de vele mensen, waarvan Charlot hem had uitgelegd, waarom zij meegingen.

Onder anderen: de vrouw van een doktoor opdat haar echtgenoot zijn zaken beter mochten gaan; de heer uit 'Den koperen Olifant', herbergier, opdat zijn acht maanden zwangere vrouw een kloeken zoon zou baren; Arnold van Sichem, horlogiemaker, opdat hun tweede zoon zou afgekeurd worden bij de soldaten, en de andere, die reeds onderofficier was, luitenant zou worden; (de vader hield er aan dat de eerstgenoemde zijne zaken voortdeed). Boeren opdat het zou regenen voor de aardappelen, en jonge college-studenten, die een vlagge-inhuldiging gingen geven, opdat het niet zou regenen.

En Pallieter riep tot een magere kwezel: 'Pekelteef!' De kwezel zag niet op, maar wierd bleek lijk hagel!

En als ze voorbijgegaan waren zei hij: — 'Dor zen der zeker ook wel bij, die bidden lak Ruysbroeck het bediedt,' en hij citeerde: *'Dat is gode alleene besitten — meinen — ende minnen niet omme onze ghewen — achte omme onse eere — achte omme onse salecheit — achte omme iet dat hi ons gheven mochte — maar alleene omme hem selven — ende omme sine eewghe eere selen wine minnen. — Ende dat es volmaecte karitate. — Daer mede sijn wie gode gheenecht — ende woonen in heme ende hi in ons —.'*

'Wie anders bidt,' voegde Pallieter erbij, 'is lak e kind in een loepmand.' Dan reed hij verder door binnenwegen, voorbij dorpen en gehuchten, en zag na langen tijd boven de bomen het blauwe torentje van Mariekes dorp uitsteken. Zijn hert begost te kloppen, en hij deed Beiaard rapper lopen. Ginder aan den uitkant van het smalle dorp lag haar huis, en om haar te verrassen en zich aan te kondigen, begon hij op zijn doedelzak te spelen, en reed zo door de dreef naar de witte woning. Een boer kwam eens over de haag zien en twee patodderkes van kinderen liepen verwonderd mee achter den rijdenden speelman, maar het huis van Marieke bleef toe.

Pallieter stapte af en ging langs 't neerhof zien. Nonkel Hanrie hong tegen den beschaduwden muur op een stoel te slapen en verder was het stil.

Pallieter maakte den boer wakker. 'Wor is ma lifke?'

'Hee! Ja 't!' zei de boer, al geeuwend en zich rekkend, 'z'is mé heur twie nichtjes, die in vacansie zen, nor de hei gon wandele. Kom! gon w'een pint drinke?'

'Nee 't,' riep Pallieter, 'ik brand oem Marieke te zien, ik gaan ze zuke. Tot straks!' En daarmee was hij weg.

Hij reed door binnenwegen, overal heet en stil, dan nevens een dennenbos, weer over brokken land waarop de gele jeneverstruik blonk en de heidebloemen purpel bloeiden, dan door een heel lang dennenbos, en ineens aan den ommedraai lag heel de langverwachte heide open in haren vollen purperen bloei.

Een onafzienbare vlakte, groot als een zee, maar purpel opengespreid, purpel lijk avondbrand, een purpel dat de zon ophief tot een gloed. En daarover omhoog klom helder de blauwe hemel open en strekte zich een eeuwige stilte uit, tegelijk met het gonzend gezoef van de bieën.

En Pallieter bleef staan, aangedaan tot aan het puntje van zijn ziel. Het was hem alsof zijn lijf openging en hij met zijn hert blootstond tegenover het inwezen van de wereld: iets van de ziel der aarde voelde. Hij scheen zichzelf een reus te zijn, en even gelijk de wereld. En hij zei:

'Een mensenziel is nog zo klentjes ni!'

Hij reed voort en zijne ogen kost hij niet geloven. Dat purpel! dat purpel! Hij kon het einde van dit koninklijk koleur niet gemeten.

Over heel die vlakte was er geen levendige ziel.

Toch reed hij verder, en zag bijtijds aan een viertal berkebomen een groot ven te schitteren liggen. Water trekt aan, en hij daarop af! En zie! plots schoten uit het oevergewas twaalf reigers op, die met hun verward vleugelengeslaag ondereen opstoven, wit en grijs met hangende rode poten, lijk een echte Japaneze schilderij.

En toen merkte hij aan een verdere ven-zilvering drie naakte wezentjes in 't water spelen. Hij stond recht op zijn paard, hield zich vast aan een berkeboom, en zag zo voor zich uit in de verte.

Ja, 't waren drie naakte wezentjes, die in het water sprongen, er weer uitkwamen, en malkander met het glinsterend water dresten.

Pallieter werd ineens rood, en zei overgelukkig: 'Dat is Marieke mè heur nichtjes. Wacht!'

Och! Hij was zo blij! Hij was lijk zat! Wat een verrassing! En hij liet zich op het paard vallen, en schoot lijk een pijl uit den boog vooruit...

Hij zag op!... Ja het waren meisjes, hij zag het van verre aan hun heupen. Hij versnelde; maar ginder ging er een driedubbele kreet op, en de naakte meisjes liepen uiteen, één keerde zich weer om om heur kleergoed te pakken, dat ze aanstonds vallen liet en weer sneller wegliep.

Toen herkende de snelrijdende Pallieter Marieke en hij riep: 'Marieke, Marieke!'

Maar zij liepen verder, met snelle benen, een viel er maar was weer haastig bij de anderen. En dichter kwam hij, hij hoorde hun van angst lachende gillen en kressen en hij genoot van hun roze lijvekens. Maar de twee meisjes met blond haar, weken af en liepen een andere richting in. Marieke liep toen alleen. Pallieter sneed haar den weg af en hij versnelde nu niet al te zeer den rit, om het lang te kunnen bewonderen. O zie! haar lenige heupen nog nat en blinkend, dat roze lichaam en heur haren lijk een sluier achter haar aan!

'O, Marieke!' kreet hij, maar zij riep hijgend terug: 'laat mij, laat mij als u blieft mijn kleren halen.'

Maar hij was te zot om er naar te luisteren. Hei, hoe heerlijk het roze lijfken van zijn lief, van het kind dat zijn ziel bezat! daar in dat heidepurper!

En moe bleef zij staan, kromp zich ineen als voor een groot gevaar, hield de handen voor de saamgeknepen dijen en zag smekend met schaamteblos schuins naar hem op en vroeg bevend: 'laat mij me kleden?'

'Het is te schoen man engeltje,' zei hij; hij bukte zich en nam haar op het paard, vol geluk dat blote schone lijf met zijn handen te mogen raken. Maar zij hield de ogen toe, zag niet op, hield haar handjes steeds voor de stijve dijen en er rolde een traantje uit haar ogen.

'Wat? traantje neeë! da ni!' zei hij, 'wij gon a kleren hale,' en hij keerde weerom. Toen zag ze hem gelukkig en dankbaar in de ogen en sloeg haar malse armen rond zijn nek.

Wat later zaten de drie meisjes gekleed op het paard, en Pallieter ging vooraan, spelend op zijn kornemuze; met vieren zongen ze.

Zij aten gezoden hesp met boerenbrood en genoten geurige koffie. Er werd aan de ouders over het zwemmen niets verteld, maar vastgesteld werd er, wanneer ze zouden trouwen en dat zou vallen op den 21en van de naaste maand. Dat was de maand september, de rijkdom van het jaar, de lust van 't aardeleven!

REGEN

Den anderen dag, na een brandend nachtonweder, góót het water. De regen viel schuins, in lange, dikke strepen en kletste nijdig op den grond; het waren lijk sabels die vielen.

De verten waren er blauw van toegesmoord, en steeds nieuwe regengordijnen wandelden gietend over het land.

Pallieter zat een pijp te smoren onder het wagenkot, en luisterde naar den regen als naar een oud vertelsel in een ouden boek. 't Was een aangename afwisseling na al die drukkende bakkersovenhette, en een nieuwe frisheid groeide uit den grond. Het water sloeg ruw op het dak, rolde in de dakgoot, die al dit geweld niet slikken kost en daardoor overliep, pletsend en kletsend, en putten wroette in het zand. Het bonkte op de emmers en klokte in de tonnen, het ruiste over de smachtende bomen en speelde ratelend op het water.

Heel het land ruiste onder de goede laving, als een grote zucht van verlichting. De peerdestal stond open en de mesthoop dampte. En Pallieter zat op de berrie van den kruiwagen, naar de lekken te zien die van de pannen vielen, lijk poppekens weerop dansten en in kortstondige blaaskens uitstierven.

Het was alsof het regende over zijn hert; het zwol van de deugd. Hij zag de blauwe verten, het gezwollen water, den natten hof, waaruit de regen den zoetsten rozereuk omhoogsloeg, hij zag zijn blauwe pijpesmoor door den regen wegwandelen, en er kwam een groot gevoelen van innige goedheid in hem, een gevoelen dat moest uitgevierd worden, omdat het te groot en te schoon was, en hij het alzo niet slikken kon. Hij wilde den regen voelen tot in zijn hart.

Hij sprong in het schuitje, dat daar grauw en oud te dromen lag, stak van kant en wrikkelde, rechtstaande, stroomop. De regen danste over het water met een breed ritmisch geluid. Het zingende water was zo aanlokkelijk! En hij, mestnat, wroette en wrikkelde met den riem zo krachtig in het water, dat de opstroom schuimend tegen het voorsteventje plaste. Hij zong.

't Was toch een zaligheid, al dien overvloed van lavend nat op de aarde zo smakkend te horen neerkomen, zo met een ruwe mildheid, als de gift van een reus. De bomen kosten al die regenmacht niet vatten, het gers lag plat en het water liep in schuimende beken naar den lagen grond. 't Was een wellust zonder weerga, al die vracht van water op zijn lijf te voelen! Het bedrenkte hem tot op het blote vlees, maar hij zong:

'O Heer uwe voeten druppelen van vettigheid,
Zij zegenen het uitspruitsel der aarde!'

Hij hief het hoofd op en liet den regen zijn gezicht rood slaan, zijn borst en schouders bekletsen.

'O! regen omhult mij mé oew sluiers, zuster van de zon!'
En zó vaarde hij over het ruisende water en door het ruisende land, en hij wrikkelde maar vooruit, en zong, kijkend over de natte velden:

> 'Het regent, regent, jongens
> nu is het weder fris.
> Ja! roept men door het venster
> dat regen welkom is!'

In dat heerlijke waterlawijd was er nergens een mens, ja toch één, een visser, weggedoken in lederen overjas, aan 't hengelen. Hij stond stil als een rots te loeren naar den roden stop.

Zwaluwen zaten met kladden op den dijk, en de koeien in de weiden wandelden over en weer, en hun lijf dampte hen in ene witte wolk. Een koewachter zong ievers onder een afdak. Er was een blijheid over de groene akkervelden en een weldadige grondreuk spreidde zich uiteen.

Voor Pallieter was het een zielsgenot, zo aan de regenkoorden te hangen en hij vaarde maar dóór in zijn geestdrift. God weet waarheen!

Maar op den over-Neetsen steenweg, die hier omtrent tot tegen de Nethe kronkelde, hoorde hij zijn naam.

En van onder de bruine huif van een mulderswagen, zag hij Fransoo armenzwaaiend, hem toeroepen. Pallieter riep hem, en door den plassenden regen kwam de dikke vent lachend aangekwakkeld. Hij stapte in het bootje, en zette zich op een banksken. Zij vaarden verder.

'De rege mokt ma zat!' juichte Pallieter.

'Mij nat!' zei Fransoo.

'Allé dan, in de viskamer!' riep Pallieter, en Fransoo wrong zich door het vierkant in den bak, en liet er alleen zijn blozenden, lachenden Bacchuskop boven uitsteken.

Pallieter vertelde hem dat hij vast den 21en trouwde.

En daarop riep Fransoo: 'Dor moet oep gedroenke weurre, lot ons in e stamineeke gaan.'

'Ni!' zei Pallieter, 'as we thuis kome.'

'Dor zet ik 'n pijp oep,' riep Fransoo, en hij smoorde een pijp uit zijn dikken kop. 'Lot ons al mor vroem kiere, 'k krijg deurst!' Zij meenden weer te keren, maar Fransoo riep: 'Ginder, de processie!'

En waarachtig, in dien kletsenden regen kwam de processie, zwart, met open regenschermen, treurig afgezakt. Ze was zeker meer dan de helft verkleind, ging uiteengespreid lijk doolaards, en daar klonk geen muziek of geen trommelslag, er waren geen priesters vooraan, en van achter sloten de twee gele omnibussen en enige zwarte rijtuigen den stoet. In de laatste zaten de priesters, en de omnibussen waren volgepropt, en van boven in den vollen regen, met of zonder scherm, zat het nog vol mensen. En Pallieter zag Charlot, de jubilarisse, met opgeheven rokken, zodat hij tot aan de knieën bijna haar dikke pileerrechte benen zag — alleen lopen onder een purpelen zonnescherm. Hij riep haar. Zij kwam afgelopen, lamenteerde: 'Och Bruur, kiert algau nor huis, en mokt de kaffe geried, 'k zien gruun van den hoenger.' 'Kom, stap oep!'

'Neeje!' zei ze, "k doen alles te voet, al zeven uren in den regen, in zoe'n hondeweer!' en ze keerde terug naar den steenweg, en vervoegde de andere pelgrims. Pallieter en Fransoo lachten, maar toch vaarden zij dan terug. Pallieter luisterde naar den regen, en Fransoo, die maar smoorde, zag soms met één oog het blauwe landschap aan.

Als zij thuis kwamen, herkleedden zij zich. Fransoo maalde koffie, en Pallieter zette de tafel onder het glazen dak, om den regen er te horen op bonken.

Tegen het glas, langs binnen, had een knokige druivelaar zich opgewerkt, en spreidde er nu een weelde van blad en vruchten uit.

Och! een vracht van over de honderd purpele druiventrossen, met vruchten groot als duiveëieren! Hei, wat 'nen boom!

Hij was het sieraad van Pallieters huis, zijn schoonste meubel. Nog enige dagen, en zij zouden geperst worden in zijn gulzigen mond! O, wat een genot bereidde zich daar. De wijn die het hart des mensen versterkt, en de ziel doet lustig worden.

Het was een kloeke, overrijke boom. Hij was bezonder heerlijk als de zon er op stond, als de grote bladeren doorlicht werden, en de druivenbollen van haar levengevenden gulden schijn werden omhangen.

De aangename koffiereuk vulde de kamer, en toen alles omtrent klaar stond, Hollandse kaas, eierkoek en appelspijs, kwam Charlot, druipend lijk een teems, zuchtend binnen.

Zij liet zich op een stoel vallen, en begost te schreeuwen om haar schoon kleed, dat nu bedorven was en goed voor Loebas op te laten slapen.

'Zwijge,' zei Pallieter, 'hoe was de reis?...'

'Wa 'ne regen! wa 'ne regen,' ging ze voort, 'de mieste blijve tot het over is, het muziek is ni wille mee vroem kome, en is mè den trein afgereje. Der hemme wijve gevoechten oem in den oemnibus te zitte. Ach, man kliere zen lak loed; zeven uren in den rege! héjéjéjé!'

Zij ging zich herkleden en kwam terug in heur 'swerkendagse kleren.

'En lot nij is zien, wat da' g' hed meegebroecht, zei Pallieter.

Zij haalde haar emmerken, knoopte den natten zakdoek er van los, en haalde er, al maar doorpratend, een glazen bol uit, waarbinnen het beeldje van Ons Lievevrouw stond.

'Ziedis hoe schoen!' riep ze, 'het sniewt!' en zij draaide den bol om, schudde er mee en daar vielen en wemelden in den bol allemaal kleine, witte zemeltjes rond het beeldje.

'Dad snie is zagemeel!' zei Pallieter.

'Ni schampe!' dreeg Charlot, 'of 'k steek alles weg! En ziedis mijnhier Fransoe,' lachte Charlot, 'ziedis Bruur!' en zij haalde uit een kartonnen doos een schelkoperen tuig. Het was een Lievevrouwken dat plat horizontaal boven een bel lag. Charlot duwde met den duim op het gezicht van 't beeldje, zodat het met de voeten omhoog kwam, dan ineens liet ze het los, en het kletste hevig tegen de bel, dat het rinkelde lijk in een kerk.

'Da's veur oep tafel te zette, en as ge ma noedig hebt, belde mor.'

'En,' zei Pallieter, 'dan zulde gij denke dat ons Luverijke oe roept.'

'Zwijgt,' zei ze, 'hier is 'n Luverij, die ge zied in den doenkere. Kom, zie mor,' en zij plaatste een pleisteren Mariabeeldje in de kas, deed de deur goed dicht, en zei van door het sleutelgat te zien. Pallieter zag, Fransoo zag, en inderdaad, in de pekzwarte kasdonkerte bloeide groen het met fosfoor bestreken beeld.

'Schoen hé?' riep Charlot, 'oem bang te zijn saves.'

'Wa' da' ze toch verzinne, hé Bruur,' zei Fransoo.

'Ja,' zei Pallieter, 'as ne mens ni mier mè 'n pop kan spele, dan spele ze mè ons Luverijke.'

En zie! op 'nen één-twee-drij scharde Charlot alles van tafel, en droeg het verontwaardigd naar haar kamer. Zij riep:

'Nij krijgde niks, en 'k laat niks ni mier zien!'

Pallieter en Fransoo gingen koffie drinken; daarna plaatste Charlot zich zwijgend en kwaad bij hen, maar onder het eten kwam ze stillekens aan weer in 't humeur, en begost te klappen over Marieke!

Mariekes beeld zette Pallieter zijn hoofd vol warmte, en hij deed de tafel wegruimen, en liet wijn brengen om te drinken op haar.

Onder de druiven, die eens wijn zouden worden, dronken zij het donkerrode vocht, uit grote kristallen romers, die zongen als men er maar effekes tegen stiet.

Fransoo was in zijn schik met den goeden wijn, hij liet zijn glas noch leeg noch gevuld staan; het ging er in lijk water. Charlot dronk zoeten witten wijn, en ze had een fles voor haar alleen. Pallieter bleef bij Fransoo niet ten achter, en die twee tikten en dronken onder het vertellen over Marieke en onder het roken ener grote sigaar, wel vier-en-half flessen leeg, dat hunne ogen lam in het hoofd gingen staan, en zij naar hunne woorden moesten zoeken. Charlot ging boodschappen doen, en zij ledigden ieder nog een fles ouden zwarten wijn.

Het ging donkeren en Pallieter zei: 'Kom, we gon het de

Pastoer oek zeggen.' Met zoekende, onvaste stappen gingen ze achtereen door de regenplassen, en beiden lachten zonder te weten om wat. Zij vonden den pastoor, nog bezig in zijn vetplantenserre aan 't frutselen. De goede vent hield kollektie in de raarste soorten vetplanten, en daar besteedde hij veel tijd aan, en sprak er geren over.

Den pastoor werd de datum kond gedaan, en hij haalde drie flessen op, van achter 't patersvaatje. De kaarsen werden aangestoken, en de pastoor wilde Beethoven spelen op zijnen cello, maar 't ging er niet in; Pallieter en Fransoo zaten daar allebei stapelzat, en dronken maar aanhoudend voort; Pallieter zong iet zonder woorden, begost dan weer te vertellen om dan ineens te zwijgen. Fransoo zat te lachen, altijd maar door te lachen. En nu riep hij: 'Nu gon we naar manne meulen e fleske drinke, kom Pallieter, kom Pastoer!'

Maar de pastoor ging niet mee, en samen, Pallieter en Fransoo, trokken ze over 't Begijnhof, zwijmelend van hier naar ginder. Pallieter viel in een ruit en 't was een luid gerinkel van brekend glas door de late stilte.

Zij staken over, en arm aan arm, zingend dat het galmde, waggelden ze door den regen voort, die altijd even hard het land begoot... En als Pallieter 's morgens in Fransoo's molen wakker werd en de mistige, natte verten zag, riep hij: 'O, aarde mè a duzend borste, wannier zulde ma verzadige? nooit ni!'

DE HOREN VAN OVERVLOED

Eindelijk was 't september, de frisse maand, die blauwe wierook voor de bomen hangt.

Dien achtermiddag lag er een zoete stilte ver over de velden, waar de boeren in menigvuldigheid de patatten aan 't uitdoen waren. Nu en dan puntte er door de koperen zonlucht een wilde-ganzendriehoek naar het zuiden, en hoog in het oosten plakten witte wolkskens.

En hei! op de Nethe, voor Pallieters huis, lag een versgeschilderde tjalkboot gemeerd! Hij stond boven op het water met zijn blinkenden, ronden buik, en verders was hij vinnig wit en groen geverfd, met hier en daar wat gele krullen of een helle rode ster; witte zeilen hongen slap nevens den mast, en van boven in den hogen top fladderde een rode wimpel.

Die tjalk, zo blij van kleur, was het schip waarmee Pallieter zijn huwelijksreis ging doen — en de krone van het jaar, het dierbaar fruit, moest de scheepskas vullen, want niets anders zou hun voedsel zijn!

En God! nooit was misschien de krone zo zwaar en

groot geweest! Zij spande zich over heel de wereld, in een droom van de heerlijkste koleuren, zodat het land ervan inzakte en de bomen ervan kraakten! O, het onvolprezen fruit, dat het heiligste van het leven is, omdat het de ziel en het bloed der aarde heeft opgezogen en in zich verborgen houdt, het had de wereld overweldigd en verblind!

Ja, de wit-roze mei had zijn belofte gehouden: al de overvloed van witte bloesems onder de jonge lucht was helemaal fruit geworden! Wat eens de wereld in een vizioen van geurende blankheid sloeg, was nu een macht van zwaarwegende appelen, peren, abrikozen, meloenen, hazelnoten, druiven, die spanden van het sap, en die de zon had rood geslagen, geel en roos en purper... Een droom!...

De hoven waren paradijzen, waar niets verboden was, en waar al de weelde en de goedertierenheden des levens in rijk koleur en zoeten reuk te pakken hingen. 'T Was een zegen!... om te bidden en te loven!

O, wat was Pallieter blij in deze dagen! Hij was lijk zot en uitgelaten lijk een jonge merel. En hij riep van uit den pereboom:

'Het léve lot zan perels valle!'

Hij had een blauwen voorschoot aan van Charlot, en hij was op zijn kousen, radijsroze kousen, die fel uitblonken in de gedaagde tonen van daarrond. Alles was geplukt en gereed om ingescheept te worden, want vandaag zou Pallieter vertrekken en morgen ginder aankomen, om te trouwen. Hij liet zich uit den boom vallen, en groen van het mos, riep hij met den mond vol peresap tot Charlot, die

met een halve-maan bezig was de okkernoten te geselen:
'Spoed oe!'

Maar Charlot pekte voort lijk de duivel op Geraard, zodat de takken kraakten, de bladeren in den ronde stoven en de omslunsterde noten, lijk een dichte, rappe regen op den grond klopten.

Daar op den blijk lagen de afgeplukte appelen en, met den vollen schijn der koperen zon erop, sloegen zij het water in de ogen en brachten het hert omhoog.

Elke appel was twee vuisten dik en donkerrood met botergele stralen. — 'Hun ziel komt erroep ligge,' zei Pallieter verbaasd, 'wie zij deurve denken da ze van binne witter zen dan melk?' En hij wreef er enen zolang op zijn gespannen hemdsmouw, tot hij blonk lijk glas.

'Het is zunde van hem oep te ete,' zei hij, als hij nog maar 't klokhuis ervan in zijn vingeren hield.

'Allé, Charlot!' riep Pallieter nog eens. 'Lot het staan. Er zen al note genoeg. Brengd alles mor ba den hoep.'

Charlot vulde een meukesmand met appelen, en hief ze dan krochend voor haren dikken buik; de rode schijn der appelen sloeg op haar dik gezicht lijk een late zon.

En het wilde zo zijn, dat de pastoor op den Nethedijk aan 't brevieren was, en riep:

'Hela, Charlot, brengd er is wa nor mij!'

Charlot wilde zich omdraaien, maar zij strunkelde, en onder het geroep van 'Jezus Maria, man appele, man appele!...' viel zij op den grond, en al de rode vruchten rolden rap en botsend voor haar uit.

De pastoor kwam seffens bijgelopen om haar te helpen inladen en Pallieter stond van wijd haar uit te lachen, dat het tegen de bomen sloeg en echo's gaf.

De pastoor droeg mee de mand.

Ondertussen had Pallieter het blauwe hondekarretje al volgeladen met de helft van den vruchtenhoop, en hij deed er nu nog appelen bij, dat zij over de berden rolden.

Hoe verschoot de pastoor van al dien vruchtenovervloed daar op dit blauwe karreken!

Hij sloeg zijn handen bijeen en hij riep:

'Mor zie nij toch, zie nij toch! Salomon zij er ne schoene psalm oep vinne!'

En 't was waar!

Een schat van de schoonste vruchten dooreengegooid: purperen druiven met roodgebrande bladeren en daarin en daartussen het zachte roos en 't bleke geel van fluwelige perziken en appelkokken, het groene van hazelnoten en okkernoten, het goud van meloenen, het brons van peren en het blinkende bruin van jonge kastanjen en mispelen, en dat geheel doorvonkt en doorslagen van den fellen brand der appelen!

Dat alles ondereen en overhoop, een rijkdom van koleuren, en een wolk verspreidend, die zieken kon genezen en de vogelen bedwelmde.

't Was heel het leven dat daar lag!

Een trofee voor een God!

Voorzichtig trok Loebas het zware karreken naar het schip en Pallieter, Charlot en de pastoor liepen er nevens met de vreugd op hun gezicht.

Och, 't waren hier toch zo'n twee gezellige kamerkes! Witte gordijntjes en bloempotten vóór de kleine vensterkes, waardoorheen men hoog over de blauwe velden zag.

In den hoek, onder een rond vensterken, stond het door Charlot opgemaakte beddeken, waarboven zij niet vergeten had een crucifixken met gewijden palm te hangen.

Charlot ging seffens terug met het karreken om nieuw fruit, en de pastoor nam een stoel, terwijl Pallieter zich op een hoek der kleine tafel zette. Zij dronken een borreltje Schiedam en de pastoor zei:

'Mor wad' 'n aardig gedacht toch, van mé e schip 'n huwelaksreis te doen!'

'Ja!' riep Pallieter, 'wa' kan er beter gevonne weurre, veur ni gestoerd te weurre van ij of van Charlot en saam gerust vlam en vuur te zijn, te smilte, te vergaan in malkander! Leven e schip!'

Charlot bracht eerst nog een nieuwe vracht vruchten en Pallieters kornemuze, zijn harmonika en tabak, en toen moest iedereen van het schip, want het water begon op te lopen, en Pallieter ging zich wassen.

Fransoo kwam omtrent dien tijd met een handdoekpak op den arm op den over-Nethedijk staan roepen om over te zetten, want hij ging mee met Pallieter naar Marieke. Charlot en de pastoor zouden morgen komen op het hondekarreke

Charlot haalde Fransoo met de schuit van den anderen kant en de schilder vertelde hun dat zijn vrouw niet kon meekomen omdat er een van zijn zeven kleinen scheuten in de tandekens had.

'Mor we zullen het allien oek wel gedaan krijge!' riep Fransoo.

De dag hing grauw-blauw uit, de avond kwam ijl en stil en de tij liep ferm op.

'We gaan trouwe!' kreet Pallieter en het zeil wierd losgeknoopt, de tjalk van kant gestoten, en daar dreef ze schuins weg naar het midden, waar ze met den loop mee statig henendreef, klaar weerspiegeld in het water.

'We vere nor Marieke!' zongen Pallieter en Fransoo tot den pastoor en Charlot, die op den Nethedijk hen achterna te kijken stonden. De pastoor wuifde met zijn zakdoek, en ineens schoot Charlot in een schreeuw, snikte van 'Bruur, goejen Bruur!' en verborg heur wenend gezicht achter heuren blauwen voorschoot.

...De twee mannen vaarden nevens de stad. De smoor, die uit de vele schouwpijpen steeg voor het avondeten, ging kalm en recht omhoog in de ijle avondschemering, waarin nog zongoud stond. De lampen werden aangestoken. Er waren veel geluiden van kinderen en zware karren op de smalle kaaien. Dan kwamen ze weer in 't open veld, waar het heel stil was en de avond reeds in de hoge bomen hong. Er viel uit de lucht een reine zoelte. De akkers waren verlaten met in de verte nog een traag-dokkende kar; en het schip dreef hoog en geruisloos boven het koele, wassende water.

In een zuivere blauwigheid kwam de avond over de rustige wereld. Een grote lijn witte smoor hong voor de verre bomen, en ginder in de blauwe avond-eenzaamheid gloeiden twee helrode vuren van brandend patatteloof.

De smoor spreidde zich nu lenig over de landstreek uit, en bleef wiegen laag over den grond en het water als een bleke droom.

Er waren fijne reuken in het veld, en de geur van meloenen en appelen kwam uit het kamerken gewerkt.

Een grote vrede overal, als na veel zwaren arbeid, en alsof nu een heilige rust gekomen was. Een late vogel lachte in de verre stilte.

Op het dek lagen de twee mannen zwijgend hun pijp te smoren. Morgen zou Marieke als maagdeken dit schip betreden en vrouw worden in den rijken vruchtenovervloed van 't milde jaar. Hoe feestelijk! hoe prikkelend... Om niet stil te zitten!

En toch dacht Pallieter er niet aan; deze avond was zo zoet en stil, zo overweldigend van innerlijken vrede, dat hij zich kalm voelde en zuiver als een heilige.

Daar was de feest nu in vollen gang.

Heel de lange schuur was éne tafel, en overal rond zat het dicht bijeen met volk dat gulzig at, luid klapte, riep en zong.

Het was een lawijd lijk een laatste oordeel, en daar bovenuit zoefde nu en dan een zware harmonika en een schelle triangel.

Zwetende knechten in hun hemdsmouwen brachten, op berries en afgehaakte deuren, de schotels worst, rokolen, ham, snijbonen, dampende patatten en kannen bier.

De twee poorten stonden over elkander open om veel licht te brengen, en men had er een vrij en ver gezicht op de velden en mastebossen, waarover een dunne nevel lag, doorsponnen van koperen zon.

De grauwe, geleemde wanden waren mild bekleed met het donkergroen van geschoten aspergiën, waarin vinnige papieren rozen helderden.

De zaal was blauwig van den smoor, die uit pijpen en sigaren steeg. De zon kroop ver de plaats in en verwekte veel koleur. In het midden aan de vrolijke boerentafel zat het jonge paar: Pallieter en Marieke.

Marieke zat daar lijk een popje, stil en stijf in een gespannen pruimpurpel kleedje, dat de borstjes hoog ophief; een witte gazen sluier, die in losse plooien over hare schouders viel, was op het hoofd vastgehouden met een kroontje van witte, in was gesopte, oranjebloemekens. Ze zat er zedig lijk een nonneken, en verjongd en verfrist door het geluk.

Hare appelrode kaken bloosden nog meer dan anders, en de gefriseerde haarkrullekens hingen in de kalme zon fijngoudig op het witte voorhoofd.

Ze zat daar in al dat lawaai alsof ze er niet bij behoorde, en als Pallieter, die nevens haar los en vrij zijn eten verorberde en zijn pijpen smoorde, haar iets vertelde, dan keek ze naar omlaag, en kwam er over heel heur gelaat een hevige blos, en een gelukkige glimlach op haar lippen; maar als Nonkel Hanrie, haar vader, dan weer tot Pallieter over honing en mest voortpraatte, dan gingen haar ogen over de tafel rond, en knikte zij ingenomen en wat verlegen naar kennissen en familie.

Zij roerde bijna de spijzen of het bier niet aan, maar at uit een der vele fruitmandekens, die op tafel stonden, een malse perzik of peuzelde aan een okkernoot.

Pallieter zag haar alzo in al heuren rijken, kinderlijken eenvoud zitten; hij had een jagend hert ervan, en had met haar alleen willen zijn. Hij was opgewonden.

'Kom, wille w'er stillekes van onder muize?'

Maar dan zei ze van nog te wachten, dat ze nu nog niet dierf heengaan om de feest niet te storen; en dan kwam er weeral vers eten, werden er nieuwe liederen gezongen en de glazen nog eens gevuld.

Zo bleven ze zitten.

Op een ton, met een pot bier aan zijn voeten, zat een schele vent maar aanhoudend en onverschillig harmonika te spelen.

Fransoo kon zijn ogen van heel dien kleurenrijkdom niet slaan. Al die boerenkoppen, die bijna nooit iets anders dan aarde geroken hadden, en er kostelijk naar gevormd waren.

'Elke kop is goud waard,' zei Fransoo.

De zijden pompadoeren sjaals wemelden en blonken; het zwaar goud schitterde en al die hagelwitte kanten mutsen, het zilverblond haar der jonge deernen, de bonte foulards der mannen, en een heldergroene dragondersoldaat, dat was een feest voor een schilder; en dan! er was veel zwart, zijden en katoenen zwart, dat die koleuren en de vruchten op tafel nog feller blinken deed. 'O!' riep Fransoo tot Pallieter, 'Bruur, zoe iet vinde ni mier van hier toet China! Och, hoe kolossaal!'

En de zon, die meer en meer binnenschoof, gaf er een groter weelde en een inniger leven aan.

De pastoor zijn kletskop blonk hevig af tegen de blauwe verte der mastebossen, en Charlot zat te zweten van gulzigheid en plezier.

Mariekes grootmoeder, nevens haar gezeten in zwart krakende zijde en strooien hoed met brede linten op, hield haren mond over haar kleindochter geen Ave Maria stil, tot er een ogenblik kwam dat Charlot de tranen in de ogen kreeg.

Er wierd veel gezongen en gelachen en het bier sloeg naar den kop. Het lawijd overweldigde de luide harmonika.

Pallieter had lijk mieren in zijn benen; hij wilde met Marieke weggaan. Zij dierf niet, maar hij zette zijn mond tegen haar oorschelp, zei iets stil en lang en toen stond zij glimlachend op, en ging heen. Juist sprong er een veertigjarig zat boerken op een stoel en begon te zingen van:

'Drie schoon Tamboers die van den oorlog kwamen
Drie schoon Tamboers die van den oorlog kwamen
Van rom plom, rom plom, rom plom plom,
die van den oorlog kwamen.'

Iedereen zong mee en 't was daardoor dat Marieke, om zo te zeggen ongezien, van de tafel ging.

Pallieter ging langs den anderen kant, en zij kwamen achter het huis bijeen, waar de karren der genodigden stonden; en terwijl Marieke haastig naar heur kamer liep om het reeds ingepakte kleergoed, spande Pallieter Loebas in het blauwe hondekarreken. Zij zetten zich nevens elkaar op het smalle banksken, en met een Dju! rolde er het huwelijk van onder!

Maar pas waren ze een boogscheut ver of er ging van de hoeve een luid geroep op. Pallieter en Marieke zagen om, en achter de haag en op den weg stonden al de genodigden te roepen en te juichen; zij zwaaiden met armen en zakdoeken, en er stonden er op tafels en stoelen.

Ze reden vlug door het stille dorp, en kwamen weer in het opene. — 'Altijd maar vooruit naar de Nethe!' riep Pallieter. De stille mastebossen gaven een sterken terpentijnreuk, en nu en dan stak er tussen het donker naaldengewelf wat zon op een berkeboom. Soms viel er een blad draaiend neer.

Pallieter hield zijn vrouwken in zijn arm, en van het danig en snel rijden wapperde het gazen vool achteruit. Zij lei heur hoofd op zijn schouder, kuste hem zeer, en schoot toen in een luiden lach.

Zij geraakte los en vrij nu, nu ze met hem alleen was, dien ze liefhad als den hemel. Zij botsten soms tegeneen, en 't zand stoof aan de draaien dik wolkend op. Boerenmensen bleven hen lachend nazien, riepen een zotte slag, maar zij reden zonder omzien dóór om gauw gerust alleen te zijn. Allengskens aan werd de grond vettiger, en na nog een schraal mastbosken doorgereden, zagen ze, ginder beneden, in de helderheid de Nethe blinken; en dáár lag het schip.

Ze vlogen de zoete helling af.

Als ze daar gekomen waren mocht de knecht, die het schip bewaakt had, met een handsvol drinkgeld naar de feestvierders gaan.

'Nemt gij het kerreken mor mee,' zei Pallieter, 'Loebas bleft bij ons, dieë zal toch niks voertvertelle. Salu!'

Nu stonden Pallieter en Marieke en Loebas op het schip.

Zij wilde door de valluik naar beneden gaan om zich te verkleden, maar Pallieter zei lachend: — 'Nij nog ni of wij blijven er.'

Dan zette zij zich van achter nevens 't roer, op het watertonneken, en zag Pallieter na, die de zeilen open sloeg, waarop een dunne wind stootte. Pallieter stak verders het schip van kant, zette zich nevens haar bij het roer en langzaam dreven ze weg, lijk een wandelstap.

'Eindelijk hem 'k u,' riep Pallieter en bezoende haren roden mond.

Het schip dreef door het schone land van Reyen. Er waren hoge wolken in de frisse lucht, en in de beemden overal koeien, en ver de heuvelen met dennenbossen begroeid.

En zij zat in dat pruimpurpel kleedje sterk in Pallieters arm geprangd, wijl hij met den andere stuurde.

Haar vool waaide soms op, en als het weer neerhong nevens haar gezicht, filterde de zon er door en verguldde fijn haar rode kaken.

Hij vond haar een schoon Lievevrouwken.

Zij was toch zo gelukkig; het straalde uit haar ogen, en onaangeroerd bleef het mandeke met fruit, dat Pallieter aan haar voeten had gezet.

Het water rook, het gersland rook; hier en ginder stond er reeds een vergelend boomken; de zon viel in het witte zeil en hoog in de lucht trokken de kranen in driehoek naar het zuiden. Pallieter zag die vogels na, en toen viel voor 't eerst in hem het groot gevoel de wijde wereld in te trekken.

Zij vonden dit alles zo nieuw en heerlijk, dat zij het uitriepen en juichten, maar in hun hert werd heviger de zoetigheid der liefde, die zinnen bedwelmt en machten verlamt, en zij vergaten heel dien overvloed van zuivere schoonheid om maar met hun eigen te zijn.

Zij waren gulzig naar elkander, zoenden omtermeest, en konden niet dicht genoeg bijeen zitten.

Intussen vaarden zij verder, en de vroege avond kwam rap in de lucht.

Grijsgrauw werd de streek, de wind viel uit de zeilen, en er kwam een stilte.

Zij verkenden het landschap niet meer, en in de verte werd er een lichtje aangestoken.

Maar zij wisten van geen opstaan.

In de stilte kwam de avonddamp over de velden gesluierd en verdikte zienderogen.

Zij stootten ineens tegen kant, en het schip bleef steken. Toen stond Pallieter recht, Marieke zuchtte, en zwijgend lei Pallieter het schip aan een knotwilg vast. Er was nu hier en daar een lichtje. — 'Kom, nu gaan we naar beneden,' zei hij.

Daar ook werd de lamp aangestoken, en als Marieke heel dien overvloed van schone vruchten zag en het witte beddeken, dat Pallieter openlei, toen sloeg ineens het bloed naar heur hoofd, haar hert klopte, en stil en gelaten lei ze heur hoofdeken tegen zijn borst.

En daarbuiten, door den avond en den damp, lichtte de open vierkanten luik als een teken van groten vrede en geluk.

Wat een genot als zij 's morgens wakker werden in 't warme beddeken, te midden van den fruitreuk, als zij door het ronde raampje nevens hun hoofd een zonbeschenen vlakte zagen openliggen, met mosbegroeide kentelende heuvels omendom. Ze grepen elkander vast en begosten te fikfakken lijk twee kleine kinders.

Fruit-etend kwamen zij op het dek, en hei wat een plezier! Wind en zon!

In den nacht had het geregend en nu was alles eens zo fris en vers.

Een brede, malse wind rolde heersend over de wereld; de nevelen waren weggevaagd en de zon zoelde verjongd en verrijkt van tussen melkwitte rappe wolken op de groene aarde!

Het schip veerde nu met spierwitte open zeilen, die de wind deed zwellen lijk buiken.

Het schip joeg vooruit over het zilverrimpelig water, het hout kraakte, en de rode wimpel kletterde. — Loebas baste, maar zijn gebas viel uiteen lijk zand. Geen stem kon staande gehouden worden.

De smoor sloeg nevens de schouwpijpen der eenzame huizekens, en een witte molen draaide op een heuvel haastig zijn wieken rond. Mariekes rokken wierden tussen en tegen haar struise benen geslagen en gespannen, dat men duidelijk haar schone vormen zag.

Pallieters pijpsmoor verwaaide met den wind.

Dat was buitengewoon zo te kunnen veren! en beiden bleven recht staan om den goeden wind overal te voelen drukken. En zo vaarden ze steeds verder en verder op de schone Nethe, die boven het land verheven lag.

'O Marieke!' riep Pallieter en hij nam zijn lieve vrouw in zijn armen, zag haar in de grote, blije, luisterende ogen. 'Gij hed mij leve eens zo groet en schoen gemokt! Hoe moet ik God bedanke!'

Zij zweeg, en toen riep hij: 'Wij zullen zijn fruit ete!' En hij perste met bei zijn handen een groten druiventrossel in haren open mond.

HORENGALMEN

Breed, machtig en gestadig had de bamiswind dagen over de aarde gezwollen, nevel en prikregen meejagend in zijn groot geweld.

Dagen achtereen stonden de koppen der bomen gebogen, de blaren omgeslagen en het gers plat op den grond. Dan kwam de mist de blaren rotten, en de koeien loeiden naar den warmen stal.

Binstdien vierden Pallieter en Marieke in hun huis hun jeugdig liefdefeest.

Maar nu was het weer terug opengegaan en de lage zon liet de heerlijke verten zien. Deuren en vensters open!

O God! nu was de wereld helemaal van aangezicht veranderd! Het machtige groen, dat zoveel maanden de bomen had bekleed, was nu geel, bruin en rood geworden!

En van uit het mos, de lucht, het veld, de beken en het riet, uit het grote en het kleine, kwam er ene heilige rust, ene zuivere stilte en hoge sereniteit.

De bladeren vielen, de winter rilde aan den horizon. Het was er mee gedaan. Het leven had alles gegeven wat het kon. Het was moe en uitgeput, en ging nu rusten terug in den grond, en er nieuwe krachten vergaren voor te naaste jaar. Kikkers, vleermuizen, vogelen en krekels, alles doet en moet mee met de wet. Terugwerking. Het is de inademhaling van de wereld. Allerhande nieuwe levens zijn nu geboren en hebben geleefd, en daar het leven altijd maar leven moet en leven geven, zo haalt het er vele terug naar binnen, om er te naaste jaar andere zielen in te blazen.

Hoe kan het anders? vanwaar zou de aarde het omhulsel der zielen blijven halen? Zij is immers rond en afgerond, en er is niet meer stof in dan er in is.

Daarom doen die heengaan mee om anderen te laten komen. Zo heeft ieder zijn toer, en 't een is even schoon als 't ander, omdat het mee tot den asem van het leven behoort. Och 't is zo schoon als men er aan denkt, maar ach, wij mensen zouden het toch anders willen!

Het was hier stil bij de vele kabbelende beken, onder de hoge gele bomen en het dichte bruingeworden struikgewas. Er was een noenzon, en niets te horen dan het droog tikken van een vallend blad.

Pallieter had een blauwe met roggemeel gevulde tweezak over den schouder hangen en ging naar huis langs de draaiing van een diepe beek. Hij was dronken, dronken van al de intense herfstkleuren, en zijn mond zag purpel van den overvloed lauwzoete brembezen, die hij onderwegen had geplukt en opgegeten... Weer werd hij aan den grond gelijmd, als hij zag in welke schoonheid hij hier stond.

Hei! Al die geelgeworden bladeren, die gele bomen, waren doorhangen van de zon! De gele soppen, die zuiver en hevig het licht droegen en scherp opstaken tegen het fijn blauw gehemelte, konden al die overmacht van licht en zon niet slikken, en lieten het naar beneden vallen en omhulden heel hunnen boom met licht. Zo deed elke boom, en de ene boom gaf zijn licht en zijn kleur aan de andere, en al die bomen waren bijeen lijk een gulden wolk. Pallieter werd er mee omklaard. Hij ging voort en bij elken stap ruiste het fijn in de stilte van droge, afgevallen blaren. —

Ze lagen los en dik lijk tapijten en gaven een aangenamen reuk. Pallieter vond het een heerlijk geluid en hij hief zijne voeten niet meer op, maar schoof ze door de bladeren. Het geruis wierd er voller mee. Het was fijn, het deed hem dromen! De blaren sloegen, schoven en vielen over zijn schoenen, hij speelde er mee, ging nu eens rapper, dan weer langzaam, en hij liet ze zingen, deze gele dorre bladeren, zingen, zingen, lijk een verre zee.

Zo gaande kwam hij op een geheuvelde blote plek, vol met gele bladeren en omgeven van hoge, zware bomen en dicht struikgewas. Pallieter bleef getroffen staan, want hier stootte de zon vrij en bloot al haar macht in het kleurig bomenloof, zó hevig, dat het geel der klepperbomen sterk was als levend goud en het rood der beukebomen als vlam in bloed. — 't Was een heerlijkheid van toon en verf, een openvouwing van de zuiverste goudkoleuren die men denken kon, ambergeel, bruin, rood, koper, bloed, vuur, vlam en goud. En het licht der zon weefde, doopte, sproeide en danste en sloeg ze ondereen tot een vizioen van heiligen kleurenklank. Het was muziek.

Het was hier nog stiller, niets verroerde; 't was roereloos als ijzer.

Ineens stak Pallieter zijn hoofd luisterend vooruit. In de verte was er gegalm van vele jagershoornen. — Hei, dat geluid verinnigde het gouden koloriet der bomen! het lei als gulden kransen rond de blaren! Men zag het gegalm in de bomen!... Hij luisterde, ging schuivend door de bladeren verder, en kwam langs krinselende weggeskes, tussen hoge bomen, in het blote veld.

Overal een zachte, fijne zon en ginder, over de Nethe, uit blauwen nevel guldden vaag de oneindige Begijnenbossen. Herfstdraden wandelden in de lucht, en er was een oude rapereuk over het land.

Pallieter lei zich op den buik in 't gers en beluisterde het verre hondegeblaf en 't geschal der horens, dat van uit de blauwe bossen klonk. Heerlijk leefden de schone horengalmen ginder ver. 't Was een overhoopgegooi, een weg en weder en verloren lopen over heel de streek.

En zie! een ontsnapt hert liep uit de Begijnenbossen! Seffens wierd hij achtervolgd van boeren met schuppen en rieken gewapend — maar hij was hun te vlug en sprong met sierlijke wippen, het gewei naar achter en de dunne poten in brug, lijk men ziet op oude tapijten, over sloten en beken, rende door een overstroomden beemd en verdween langs den kant der zon in een ander bomenrijk gedeelte.

Van uit de verten bleven de horens galmen, nu eens ver en dan weer dicht, al naar den gang der jacht. Hij zag schapen grazen, de zon scheen rood door hunne oren, en streelde lijk vingeren in de dikke wol. Aan den boord van 't beeksken zat de bultige herder, alleen, heel alleen, lijk de kinderen, och arme, met de kaarten te spelen.

'Zoe wint altijd,' zei Pallieter, 'mor wint is tege mij!' Pallieter zette zich in het gers, nam de vuile gekrolde kaarten op, onderstak ze, en verdeelde. Daar waren ze nu aan 't spel, aan 't wippen, en zij vloekten, sakkerden en riepen alsof er heel de wereld van afhong. — Dat duurde zo een volle geslagen twee uren, tot de zon ging zakken, en ondertussen dronken zij van den brandewijn, dien de herder in een blekken busken op zak droeg.

De herder mankte weg met zijn goede schapen en de zon zette het westen vol vlam en vuur, brokkelde rood en geel goud over blauwe en purperen wolken, omvatte heel de wereld in haar glorierijken glans, en de overgebleven waterplaskens op den weg gloeiden lijk stukken van de zon.

Pallieter trok langs binnenwegen naar huis en bleef ontroerd naar een jong boerenkoppel staan zien, dat fluisterend leunde over een witte koe, die late klaver scheerde. De zonlucht omhulde hen met fijn oranje-goud en een zwaluw scheerde tjilpend rond hun hoofd.

Pallieter ging nog een stamineeken binnen, waar boeren en voerlui zaten te kaarten.

'Hela!' riep men verward van alle kanten Pallieter toe, 'gij gaat er e kasteel mee winne! Gij wordt nij zo rijk as de zie diep is! Geft er mor 'n tonneken ouwen bruin oep, 't kan er nij af!' Pallieter verschoot, zag verbaasd rond: 'Wa' betiekend dat allemaal?!'

'Wettet nog ni!?' riepen ze ondereen en zij vertelden hem dat er een spoorweg ging komen over de Nethe, dat deze laatste zou gekanaliseerd worden, dat zijn hof er helemaal zou invallen, verder zou er nog een fort bijkomen en een nieuw kerkhof. Het sloeg hem in de benen. 'Boem! 't Is nor de maan!' vloekte Pallieter dat het donderde. 'Adieu schoon land!... Maar in zo'n land blijf 'k ni wone! dan trekken w'er uit! dan doen 'k mor lak de vogels, de wereld is groot genoeg!' En hij dacht weerom aan de kranen, die hij op zijn trouwdag naar 't zuiden had zien trekken en die hem voor 't eerst dit gevoel van overal te wonen hadden gegeven.

'Welgekomen!' juichte hij en dronk zijn pint uit, sloeg den tweezak terug over den schouder en ging rap naar huis om het aan zijn allerliefst Marieke te vertellen...

De avond was gekomen, het oosten was toe en in 't westen aarzelde nog een mat gouden streep. De smoor steeg uit den grond. De dorre bladreuk leefde op en er was een zeer gemoedelijke stilte op het land; alleen de grijsgele bladeren ritselden, kraakten en ruisten onder en over Pallieters voeten. Een koe loeide naar haren stal, een blad viel op Pallieters hand en in de donkere Begijnenbossen galmde nog, weemoedig en traag, een eenzame jagershoren.

Pallieter werd er koud van tot in zijn haar, kreeg tranen in de ogen en voelde medeen de winter rillen door het land en door zijn hert.

In 't huis wierd er met Marieke in 't bed over gesproken, die er blijde om was, en 't werd, na gewikt en gewogen te hebben, vastgesteld dat zij met den uitkoom, als 't groen terugkomt, samen met een foorwagen de wereld zouden intrekken.

EEN GRIJZE, NATTE DAG

Door den dikken grijzen mist, die het zicht der wereld sloot, viel de motregen fijn en kil.

De bomen glommen groen lijk kikkers. Alles was nat. Wie buiten kwam was nat tot in zijn longen.

De nattigheid, ze kroop in huis, besloeg de ruiten en beklamde de muren. De vloerstenen zweetten en het zout was nat. De klinken waren nat, het vertrek was nat, alles was nat tot in de ziel.

En door den mist, van uit een zwarten boom, koerde een eenzame tortelduif...

Het leven had zijn laatsten snik gegeven, en alles stond verlaten en kapot.

De bomen waren kletsbloot en erbarmelijk om te zien, met hunne verwarde, wringende takken. De zotte, nijdige, wilde wind had al hun blaren afgesleurd, ze in de lucht verstrooid, dat er bij waren die hoog gingen lijk vogels; andere liepen met duizenden achtereen over de wegen, geraakten ievers in een hoek, in een trekgat, waar ze niet meer uitkosten en ongedurig, ongenadig, met een stuk gazet soms, ronddraaiden, altijd maar draaien, dansen, schuiven en springen in het rond, om er zot van te worden.

Zo duurde de bladerendans, eentonig en onafgebroken tot de regen ze vastsloeg en verrotte.

De bomen treurden lijk moeders om hun bladeren...

Onder het karrenkot stonden Marieke en Charlot met opgestroopte mouwen aan de dampende waskuip, en Pallieter, op de knieën gezeten, was aan het hout hakken.

Het was danig stil op het land, de vrouwen zwegen, en alleen het kappen en kraken van het hout ging een eindeken door den mist.

Men kost over de Nethe niet zien, zo hevig had de smoor de wereld omhuld. Een witte nacht. De bomen in den hof stonden daar grijs en triestig als nutteloze dingen.

Vaag lijk een spook ging er een vent, met een zwarten hond achter hem, voorbij de haag. Hij bleef staan en riep met schorre stem:

'Hé, Pallieter, zijde gij het!' en toen schoot hij in een geweldigen hoest. Als hij gedaan met hoesten had, riep Pallieter: 'Ik ben 't in eige persoon!' — 'Wilde mij is overzette?... anders mut 'k zoe wijd oemgaan.' — 'Wor trekt henne, Pier?' riep Pallieter.

'Nor de Bagijnebosse hout kope! Gade mee? Er zen veul occases te doen!'

"k Gaan mee!' riep Pallieter terug, 'wacht wa!' Hij ging zijn mantelfrak aandoen.

'Vroeg thuis zijn, hè Pallieter?' vroeg Marieke, "k zal oe straks is iet hiel aardeg vertelle!'

'Mag het Charlot ni hore?'

'Jawel, mor... toe ga mor, en komt gauw terug!' Zij bloosde wat en streek met haren schonen voorarm de bruine krullekens van haar voorhoofd weg.

'Ik mag alles hore!' riep Charlot nijdig tot Pallieter, 'en 'k zal 't nog ierder hore als gij, zolle, curieuze mosterdpot!' en dan flemend tot Marieke: 'Is 't ni waar, ma schopke?'

'Zeker,' zei Marieke, maar zij waste voort.

'Toe, zeg het is,' maande Charlot, 'zegt er mor is 'n bitje van.' Toen vertelde Marieke het.

'Zou da' waar zijn?' riep Charlot verblijd en aanstonds eiste ze dat Marieke er uitscheidde met wassen, want dat was niet goed en kon lelijke gevolgen hebben. 'Wa zal Pallieter blij zijn as'm dat hoort! Lot mij het hem zegge, zolle, ik kan da' goe,' zei Charlot.

Pallieter ging met Pier en zijn hond over 't water, en dan op weg naar de Begijnenbossen.

Ze volgden maar den kronkelenden wegel, want zij verkenden door den smoor de landstreek niet. De bomen groeiden telkens als ineens uit den grond, grijs, en doken dan weer seffens weg.

De regen hong lijk fijne pereltjes op Pallieters frak en de grond was verplat in een vettig slijk, dat tot over de knoesel kwam.

Zij kwamen voorbij een overstroomden beemd, waarin drie schuine knotwilgen treurden, de hond baste naar een krassende raaf, die zich seffens in den mist verloor.

Pallieter en de vent klapten over veldse zaken, en de zwarte hond liep lijdzaam met den kop in den grond achteraan.

't Was overal om ter stilste, de regen viel onhoorbaar en er was geen de minste zucht.

Pallieter zweette en sloeg zijn frak open.

Eindelijk kwamen zij onder hoge bomen en stapten op rotten bladgrond en het licht werd kleiner.

't Waren hier de Begijnenbossen.

Er vielen overal grote lekken van de bomen, zwaar en dof. Als zij verder gingen zagen zij, grijs bijeengehoopt, een groepje mensen staan rond een luid getallen roependen vent. Ze stonden er allen met natte neuzen en druipend van den regen. Pallieter en de vent schoven zich er bij.

De piepneuzige roepstem ging rap op en bleef hangen in de hoge, grote, natte bomen. Grijs en groen stonden ze daar, de machtige reuzen, eens zo groot nog nu de mist ze omhulde.

De roeper ging met het volk naar een beuk. O, een beuk die drie man niet kosten omvatten. Hij spreidde zich ver uiteen en verborg zijn kruin in den mist; zijn voet stond struis met veel woest kronkelende en ver lopende armen rotsvast in den grond. Een model van een boom. De koning van het woud. Als Pallieter dacht, dat deze reus binnen enige dagen zou neergeveld worden! neen dat kon hij over zijn hert niet krijgen en tot den boom zei hij: 'Groeit!' en riep tot den roeper zulke grote som, dat deze bijna omver viel en met moeite 'Gebod' kon geven.

Nu had Pallieter een boom, maar een boom, menheer, zoals er misschien geen twee meer waren. 't Was maar een enkele boom, maar hij was er blij mee, alsof hij heel de wereld gekregen had. 'Mijnen boom,' zei hij. 'Als d' ander gevallen zen, stade gij hier nog, da beloof ik u! Groeit, mokt blare en neutjes, groeit gelak ge wilt, en verbergt de konijntjes onder uwen groten voet, groeit!'

Hij kwam om winterhout te kopen, en kocht een boom. En met zijn lierenaar schreef hij in de schors het enigste wat hij ooit geschreven heeft: 'Melk den dag!'

Alleen trok hij er uit, dwars door het stille bos, waar luide lekken vielen door den smoor.

Hij dacht aan de bomen en aan de mensen. En terwijl hij hier zo alleen in dat verlaten woud slenterde en zielsgelukkig was om een boom, stak daarbuiten de wereld vol ellende en miserie, en waren de mensen ziek naar het verdriet en leefden om te sterven.

Het viel op hem lijk een blok. Maar ach! wat kon hij er aan doen? Was hij ook geen pier?

De wereld draait rond, hij draait mee en er is maar één verschil en dat is: dat hij van het draaien geniet. En dat geeft of verdeelt men met den besten wil der wereld niet aan anderen...

Als hij uit het bos kwam, hoorde hij op den steenweg veel moe paardegetrap en rinkeling van losse hoefijzers. Uit den smoor doken, tegeneengedrumd, een twintig afgeleefde peerden op.

Ze waren hoog op hinkende, opgezwollen poten, en hun goede, zware kop woog moedeloos naar omlaag aan den langen, pezigen hals.

Als vuisten staken de knoken er uit, en de ribben als vatbanden. Er waren blinden en gekneusden bij en allen drumden tegeneen als om elkander te steunen. Een hoop miserie. Zo wierden ze naar de slachtbank gedreven door twee vuile venten, zonder de weldadige, eindelijke rust gekend te hebben in een vette wei. 't Waren lijk mensen. En na hun wreden dood aten de mensen ze op.

'Vanwaar kome die?' vroeg Pallieter aan den eersten vent.

'Van Leuve,' zei hij bars.

Er scheurde iets in Pallieter. Van achter was de tweede vent, die het laatste paard, dat zeer hinkend ging, met het achterste der zweep tegen de stramme poten klopte en bleef kloppen, zo maar puur uit gewoonte.

Toen liep Pallieter zijn hert over en zonder zich te verzinnen, ging hij naar den vent en gaf hem een klets vlak in 't gezicht, dat deze op zijn hukken tuimelde. Maar de vent, ook niet lui gevallen, wipte zich vloekende op en sloeg Pallieter een blauw oog; doch Bruur greep den vent bij de keel en beiden rolden in het slijk. De andere vent kwam bijgelopen om zijn spitsbroeder te helpen, maar Pallieter sleurde hem mee op den grond, riep:

'Holleke bolleke
nieve solleke
holleke bolleke
knol!'

en hij knotste de twee naar jenever riekende koppen eens duchtig tegeneen.

'En als ge nij die peerde nog slaagt, eet 'k elle oep! Bieste!' Pallieter ging weg, de mannen schreeuwden hem nog wat achterna, maar verroerden niet...

Als hij thuis kwam rook het naar verse koffie.

Fransoo zat achter de ronkende Mechelse stoof met Marieke te klappen. Charlot dekte de tafel.

'Zie, wat hebt aan oew oog!' riepen ze met drieën.

'Tegen 'nen boem geloepe,' zei Pallieter. 'Mor lot ons koffie drinke, want 'k hem hoenger.'

Maar Charlot kon het blijde nieuws niet in zich houden; zij vertelde het hem in zijn oor.

'Watte?' riep Pallieter vol blijdschap. 'Is da' waar, Marieke?' Marieke knikte bevestigend en wierd rood tot in heur haar.

Hij sprong naar haar toe, nam haar op in zijn armen en kuste haar op den natten mond dat zij naar asem moest snakken.

'Korentenbroed,' riep Pallieter, 'spikelatie en wijn! Leve den aankomeling! Roept den Pastoer, Charlot!' Vlug lijk 'n weerlicht had Charlot een anderen rok aangeschud, en liep lachend menheer pastoor roepen... De goede vent wenste Pallieter proficiat, en tikte Marieke vaderlijk op hare wangen.

En verblijd zei hij: 'Pallieter, jonge, nij kunde de wereld ni ingaan, nij er een kinneke komt, en moete op ons zalig Netheland blijve wonen!' Maar Pallieter zei: 'Dat is mor uitgesteld. Als de kleine gebore zal zijn, gaan wij toch, en 'k zal mijn best doen van oe mee te neme.'

Ze dronken de verse koffie, aten melk en korentenbrood, Hollandse kaas, gezoden hesp, en veel andere smakelijkheden. Daarna bracht Charlot heel ouden wijn, 'Nog uit Jezekes tijd', zei ze. Zij staken een sigaar op en kropen rond de gezellige Mechelse stoof. Zij vertelden dit en dat, maar meestal hing er een goede stilte rondom hen. Charlot kwam na den afwas er zich bijzetten, in de hoop van veel te kunnen lachen. Marieke zat met den ronkenden Tybaert op den schoot.

Een smoorwolk omhulde hen, en de schemer kwam fluwelig binnen gevallen. Nipkes hoorbaar titste de regen tegen de ruiten, en het venstervlak, waardoorheen men niets zien kon door den mist, wierd langzamerhand grijzer en grijzer. De koppen verdoezelden in den donkeren, alleen de kachelpot en de drie sigaren bloosden in het mollegrauwe schemering. Hunne schaarse woorden werden er als mee omhangen, zacht en wit gedempt.

De warmte was weldadig en werkte deugdelijk op hen in. Soms was er een hele lange stilte, waarin dan niets te horen was, dan het frutselen van den regen op de ruiten.

En in zulke stilte, als uit een fluwelen keel, droeg de pastoor een dichtstuk van Gezelle voor. Niemand had over Gezelle gesproken, of getitst over kunst en... toch deed het in dezen ogenblik als iets dat bij dezen avond behoorde. Het groeide als een bloem natuurlijk. Langzaam, zuiver en stil, maar met al de vroomheid van een groot mensenhert ging het:

'Alleene, uit aller oogen
zitte ik, in den hoogen
hemel kijkend, sterrenvol;
Alle ding is duister,
uitgeweerd de luister
van 't verheven stergerol.

Hoe kleen, O God hoe kleene,
donker en alleene,
ligge ik in dien grooten al
van uw licht verloren,
lijk een ongeboren
kind, dat niemand baren zal!

Gesprakig is al 't wezen
dat de wil van Dezen
die het Woord is, worden liet;
Stom en zijn uw stralen,
sterren, niet en talen
doen ze meê in 't eeuwig lied.'

Als 't uit was, zei er niemand een woord, noch een zucht, er bleef een gespannen stilte, een wachten en dan herbegon de pastoor:
'O Lied, O Lied,
gij helpt de smert
wanneer de rampen raken,
gij kunt, O lied, de wonde in 't hert,
de wonde in 't hert vermaken!

   O Lied! O Lied!
   gij laaft den dorst,
  gij bluscht het brandend blaken,
  gij kunt, O lied, de droge borst
  en 't wee daarvan doen staken.
   O Lied! O Lied!
   het zwijgend nat
  dat leekt nu langs mijn kaken,
  gij kunt het, en uw kunst is dat,
  gij kunt het honing maken...
   O Lied! O Lied...'

De laatste twee roepen 'O Lied, O Lied,' waren door de hevige klimming van 't gevoel zo stil uitgesproken dat ze niemand had gehoord met de oren, maar wel met het hart. Dan volgde na een pauze het hoog-mystieke dicht 'Blijdschap', 'Daar zijn blijde dagen nog in 't leven,' en nadien steeg uit de stilte deze innigste belijding:

  ''k Hoore tuitend' hoornen en
   de navond is nabij
    voor mij;
  kinderen, blij en blonde, komt,
   de navond is nabij
    komt bij:
  zegene U de Alderhoogste, want
   de navond is nabij;
    komt bij;

          'k hoore tuitend' hoornen en
             de navond is nabij
               voor mij!'

   Het eindigde met een gedempten snik, en toen bleef het
stil. De regen leefde puntig op de ruiten. Pallieter liet een
zucht. Marieke zuchtte hem na. Fransoo stak zijn sigaar
opnieuw aan, en dit licht liet aan elkander zien, dat elk tranen in de ogen droeg, behalve Charlot, die op de stoofleuning ingeslapen was.

EEN SCHONE WINTERDAG

Pallieter kwam buiten, en het was een weer, zo kleer en zo jeugdig, alsof opnieuw de lente begon. Hij haalde zijn klak, stak zijn pijp aan en ging op wandel om zijn benen te rekken. De hemel was als antiek blauw porselein, en een bol windeke liep door de lucht, dat in de hofkens het blekend lijnwaad, aan koorden, klapperen en wapperen deed. Pallieter had er deugd van, te zien hoe de wind in witte vrouwenbroeken spande alsof er waarlijk billen in staken.

Op het veld stond hier en daar een boer te werken, een schup blonk, en het natte groen plakte smakelijk af tegen den bruinen grond. De verten waren bleek van zon, maar helder van doorzicht. Tussen de kale bomen lagen de rode hoeven, en boven den dicht beboomden kant, langs het zuiden, klompte blauw de struise toren van Mechelen.

Pallieter wreef in zijn handen en snuffelde den reuk op der platte aarde, die sedert dagen en dagen beregend was, en nu door dezen gezonden wind weer tot haar vaste vettigheid kwam.

De wegen werden droog en hard, een haan kraaide, er

vlogen duiven, en Pallieter zei: 'Dat is 'n heilig weer!' Zo wandelend van den enen weg op den andere, hoorde hij opeens ievers orgelmuziek.

't Waren als glazen pianoklokken, als kloppen op kristallen flessen. Dat deed zo goed en heerlijk in dezen verrassenden dag, dat Pallieters hert er van opwipte in zijn lijf. En hij er op af.

't Moest van achter den steenweg komen. Hij ging rapper. Achter den steenweg en een plek abelebomen stonden heel alleen twee roten werkmanshuizekes over elkander. Als Pallieter daar kwam was er geen mens te zien, dan twee kinderen die met slijk aan 't spelen waren.

Zie! ginder kwam een magere, zwangere vrouw en een ros meisje met een Italiaans orgel afgestoten. Als zij aan de huizen waren, hielden zij stil, en seffens greep de vrouw naar den draaier, en pardjinkel! rap en haastig, als om ter eerste te zijn, klopten heldere klanken het anders zo langzame lied: 'Connais-tu le pays?' En zie! de vuile gordijntjes schoven wat op zij, deuren gingen open en er kwamen wijven met en zonder kinderen op den arm voor. Zij knoopten hunne losse jakken haastig toe en streken het klishaar naar achter. Hun gezicht verkleerde en de een riep een zottigheid naar den ander. Zij schoven buiten, hielden de hand op de slip van hunnen rok en troepelden bijeen. Een hoop morsige jong stond nieuwsgierig rond het orgel en een kleine, magere manskerel, een kleermaker, te zien naar den witten driegdraad die op zijn broek en vest plakte, liep op zijn kousen in 't midden van de straat, zwaaide zijn armen, sloeg zijn benen en gaf een danske af. De vrouwmensen schoten in een lach. Seffens grepen twee jonge deernen elkander vast, en begonnen te draaien dat hun rokken er van ballonden. Dat was de onderbreking, en opeens was al wat benen had aan den dans. De moeders lieten hun kind in den wieg liggen of stopten het in den arm van een snotjongen, en dansten mee. De zwangere vrouw lachte dat haar dikke buik ervan waggelde. Pallieter zag het aan met gelukkigen lach. Het ros meisje ging met een verroest kroesken rond en iedereen gaf een duit of een cent.

En de vrouw draaide de 'Veuve Joyeuse,' 'Die Wacht am Rhein' en de wals van 'Faust'. Maar daar dreef en stootte een veldwachter de jong op zij en gebood bars tot de verschrikte vrouw: 'Hier ni spele, iest aanvrage oep den bureau, allé hoep!'

'Ge meugd hier toch orgel spele, zoveul as ge wilt!' zei Pallieter.

'Ja, as ze gin cente vraagt.'

'Awel, ze zal er gin vrage!' riep Pallieter tot den veldwachter en dan tot de vrouw, terwijl hij haar twee frank gaf: 'Lient mij oe orgel veur e kortieke, ik vraag gi geld, 'k mag dus spele! Allé vroem on den dans! 'k zal ik draaien want van e goe weer mut 'ne mens profitere! Hoep!' En hij pakte den draaier vast en draaide er mee dat het orgeltje er bijna van kraakte!

De vrouwen walsten opnieuw en de kinderen mee.

Pallieter was gelukkig, en met luide stem zong hij mee de voos van 't lustig lied.

SNEEUW

Pallieter zag alle uren van den dag de lucht in, om er wolken te vinden die sneeuw zouden strooien. Sneeuw, witte reine sneeuw, die het bar gezicht des winters verheugdigt, die alles wit maakt, en heel de zwarte aarde verjongt.

Neen, hij kwam niet, de sneeuw. Heelder dagen voeren dunne wolken door de lucht, voortgezweept door scherpen noordenwind, die de rappe Nethe, de overstroomde beemden en de grachtjes had dichtgevrozen met ijs van vijf vingeren dik. Dat was een wellust! Een hoogtij voor Pallieter en Marieke, dit glanzende, gladde ijs, waarop ze uren ver, los en vrij lijk de vogels, wiegden en streken!

Alle morgenden waren de ruiten met vreemde ijsbloemen besponnen, maar de kern van den winter, de sneeuw, de goede, vredige sneeuw, hij zat ievers aan den noordpool en verroerde niet.

Pallieter snakte ernaar lijk een zieke naar zoet weer. Hij zei: "Ne winter zonder snie is lak 'ne zomer zonder zon..."

Maar in den nacht voor Kerstmis was de sneeuw gevallen, zacht en ongezien, in dikke, vette vlokken, aanhoudend en menigvuldig, tot het morgend wierd...

Pallieter, die nog van niets wist, was het eerst wakker geworden. Zijn eerst gedachte was om Marieke, die schoon en rustig in zijn arm sliep, wakker te kussen, maar een wittigheid sloeg hem plots in de ogen, hij zag naar 't open venster en zie! de tak van den noteboom die zich altijd zo zwart tegen de lucht aftekende, was glinsterend wit van sneeuw. Pallieter liet een kreet. Hij wipte zich op zijn hukken. Heel de wereld was besneeuwd! God, o God! Geestdriftig sprong Pallieter over Marieke uit het bed en liep naar het venster; een goede kou sloeg hem in 't gezicht. Hij kon niets zeggen van aandoening en geluk. Sneeuw, sneeuw, overal witte, dikke sneeuw! De verten, de velden, de hagen, de waterwegen, de bomen, hoeven, wegen en straat, alles wit en blank, vers uit den hemel gevallen, met al de frisheid en de jongheid van een kind!

En die witheid deed alle geruchten zwijgen en gaf een stilte van een kerk over heel de wereld.

Pallieter had die heerlijkheid in énen oogopslag gezien; zijn hert sprong op, juichend schoot hij zijn broek aan en holde van de trap roepend: 'Het geluk, het geluk!'

Hij wierp de deur open en wou de sneeuw inrollen, maar ach, 't lag daar zo maagdelijk om zelfs door geen mussepootje geschonden te worden.

'Eén moet toch den ieste zijn,' zei hij, sloeg een kruisken, en buitelde dan in de sneeuw. Hij rolde overentweer, liep door de mollige, koude tapijten, sloeg en stampte er in, lijk een zwemmer doet in 't water.

Marieke was aan 't venster komen zien en riep opgewekt, de handjes kletsend:

'Och, hoe schoen! hoe wit, hoe wit!'

Een sneeuwbal vloog nevens haar hoofd de kamer in en zij giechelde het uit, omdat Pallieter haar niet geraakt had, en riep: 'Wacht ik kom meespele!'

Ondertussen was Pallieter al begonnen met een sneeuwen vent te maken. Zij hielp hem; hij stapelde het logge lijf op en zij rolde door den sneeuw een bol, die allengskens groter en groter wierd. Dat was de kop, en met getweeën hadden ze allen last om hem op het lijf te zetten. Pallieter plaatste er een ouden hoed op van een mussenschrik, stak hem een bezem in de hand en duwde met den duim ogen, neus en tanden in het hoofd en daarbij nog een stenen pijp.

Ginder kwam Charlot van de mis.

'Stekt oe weg,' zei Pallieter tot Marieke.

Ze verscholen zich achter enen boom en maakten op voorhand sneeuwballen gereed.

Charlot was nu nog ééns zo dik door de vele winterkleren, onderrokken, jakken en slaaplijven. Ze droeg een sajetten kappelin met groene glazen perels in, sokken en zware klonen aan de voeten, een rode wollen sjaal met groene ruiten rond het lijf, en aan den hals een vos konijnepelsken. Ze glimlachte. Maar klets! een sneeuwbal vloog naar heur hoofd, die rats haar kappelin op zij sloeg. Het mens was zo verschrikt dat ze op een loop schoot, zoveel haar dikkigheid het toeliet! Maar de ballen waren haar te rap en klets, klets, een van achteren op den kop, twee, drie tegen haar dikke benen en op haren rug, en toen ze binnen liep sterde er nog een wit open op haar breed achterste.

Op het luid en smakelijk lachen van Pallieter en Marieke kwam ze terug buiten en riep vol toorn:

'Zijde nie beschomd, ma zoe doen te verschiete! Amé, Amé... man hert klopt lak 'n klok!...'

Ruw sloeg ze de deur toe.

Toen begonnen ze naar malkander sneeuwballen te werpen. Ze vlogen over end' weer, de ballen; ze sisten door de lucht, botsten tegeneen, braken tegen de bomen, tot er ten leste een in de ruiten vloog en het gebroken glas in het huis deed rinkelen. Daarop Charlot terug aan de deur aan 't sakkeren tegen den sneeuwvent, want Pallieter had zich achter de regenwaterton verstoken, en Marieke was langs achter binnengelopen.

Grommend trok Charlot terug naar haar keuken.

Pallieter bleef alleen en wierp sneeuwballen naar den windwijzer; een vent die een neus zette naar den wind, naar de eiken saterskoppen, die den uitsprong van het ver vooruitstekend dak droegen, naar de kelken op het dak en naar de fruitmandekes gebeeldhouwd op den gevel.

'Kome koffe drinken!' riep Charlot. Doch alvorens binnen te gaan, waterde Pallieter nog eerst zijn naam in de sneeuw.

Pallieter rook den aangenamen koffiegeur en spoedde zich naar binnen. Gebakken hesp, met geklutste eieren over, werd smorend op de tafel gebracht en er werd van de koffie gedronken en van de hesp gegeten, dat de lippen en de vingeren blonken van het vet, en den toren tarweboterhammen moest Charlot driemaal achtereen opbouwen.

Daarbuiten lag de witte wereld, helder de verten en de kamer verlichtend. Stilaan kwam uit de pure witheid ook al het dagelijkse leven los. De over-Neetse molen, witbekleed, begon te draaien op de grijze lucht, een boerken stapte klein en zwart over het buikveld, en een helder belgerinkel liep op den steenweg met een slede mee.

Zwarte vogels vlogen in kladden van den toren de witte velden in.

'We gaan rije met de slee!' riep Pallieter, den mond vol eten; ''t is een echt fiest! Den hemel ligt oep de wereld...'

Allebei gingen ze zich aanduffelen, ieder een beremuts over het hoofd en pelsen aan het lijf. Pallieter haalde de slanke slee van onder het karrenkot, en spande er vlug de goede Beiaard aan. Het peerd werd met grote koperen bellen behangen, die roerden en zongen bij het minste asemke van het dier.

Pallieter wachtte naar Marieke en liet de kiekens buiten. Doch ze hadden nauw den sneeuw gevoeld, een keer of drie gepikt, of ze liepen terug in het kot zich bijeen klodderen. Alleen de struise, groene haan met ros-gouden kop vloog op de besneeuwde doornhaag en kraaide van daar zijn sterk geklaroen over de stille, witte streek, hij sloeg zijn vleugels eens open en toe en wandelde dan terug naar binnen, en toen eerst leefde uit de verre, witte eenzaamheid, in een ander dorp, hanegekraai terug.

Maar daar was Marieke, die opgewekt in de slede sprong. Charlot, reeds bezig aan 't peekens en spruitjes kuisen voor de soep, die al over 't vuur hing met een groot stuk ossevlees erin, kwam mee buiten en vroeg:

'Och, da moet plizant zijn, ma 'k is mee rije tot on de smet?'

'Zit mor in,' zei Marieke. Charlot zette zich in de slee en zuchtte van de deugd.

'Mor ge mo mij nor huis brenge,' zei ze nog, 'want man soep staat oep! ze hangt over 't vuur!'

Loebas baste. Pallieter stak zijn pijp aan en zette zich van voor. De zweep kletste, de bellen rinkelden en daar reden ze door het volle witte land.

De bomen schoven voorbij, de witte velden draaiden en Charlot hield zich stevig vast, vol vrees, aan Marieke.

Rap sneden ze door de sneeuw, 't gaf geen geluid, 't was zoet aan 't hert, en als wandelen, drijven, waaien op de lucht.

Alles wit, alles wit, bomen, wegen en veld, en daarboven, vast en gesloten, de grijze hemel. De hoeven zaten in den sneeuw verloren, geen mensen te zien, en hier en daar 'n koolzwarte kraai, die ergens neerstreek op het veld.

Van ver zagen zij hoe de rode gloed het hol van de klinkende smidse verhelderde. Daarheen dreef Pallieter de slee, om kopnagels in Beiaards ijzers te laten slaan.

De twee vrouwen gingen zich seffens warmen aan 't spuwende, zoevende vuur, en Pallieter, om gauw weg te zijn, hielp den smid en zijnen knecht aan den blaasbalg trekken. Terwijl men op het gloeiend ijzer hamerde en het vuur rood opspoot in de donkere smis, lag daarbuiten het landschap wit en wijd. Pallieter kon er zijn ogen niet van afslaan en het juukte hem door het ganse lijf om weg te zijn, in den sneeuw, in die rare, schone, witte weelde. En hij trok maar aan den blaasbalg, dat de vonken een meter hoog spuwden.

Charlot kloeg, en begon te zagen dat heur soep zou uitkoken.

'Als 't ni gesnied had, ging 'k te voet terug,' zei ze nors. Ze kon niet meer stilstaan van ongeduld.

Gelukkiglijk was Beiaard spoedig klaar. Charlot kroop het eerst in de slee en ze reden weg.

'Rap,' zei ze, 'want man soep.'

Doch ineens zag ze dat de slee een anderen weg inreed.

'Bruur,' riep ze verbijsterd, 'ge red verkierd!...'

'Altijd recht deur!' zei Pallieter.

'Mor 'k moet thuis zijn veur man soep!' kreet ze wanhopig.

'We moette gin soep hemme,' antwoordde Pallieter kalm. Hij lei de zweep op Beiaard, en rapper reden ze door het veld.

Maar Charlot hield haar mond niet meer, en wilde te voet naar huis.

'Hoe mier ge zaagt,' riep Pallieter, 'hoe rapper we rije. Ge moet mee!'

"k Zal dan over dè soep zwijge,' zei Charlot gelaten, maar zij voegde er nijdig bij:

'Mor 'k zal er toch oep peize...'

Na een kwartierken kwamen ze aan de mastebossen en

de heide die aan den noordkant der Nethe zo maar seffens begint, terwijl langs den zuiderkant Brabants vette velden zich uitstrekken. Hei, de mastbossen in den winter! Hoe schoon en heilig-plechtig was het hier! De mastebomen die, om zo te zeggen, hunne brede armen buigend strekken om den sneeuw op te nemen. En waar ze bijeen stonden en bossen, oneindige bossen vormden, waar niet anders te zien was dan besneeuwden grond en besneeuwde mastebomen, voelde men zich als in een kerk.

Dat was daar in die roereloze, ongekende stilte om te bidden! Soms bleven ze stilstaan, de drie, luisterend naar die stilte die het bos beving, en dan waren ze zo klein van hart en zo vol diepen eerbied, dat ze onwillens niet verder rijden durfden of er moest eerst van uit de stille, witte bosdiepte een vogel lachen, of Beiaard zijn bellen doen rinkelen.

Die zingende bellen als Beiaard liep! Dat was een groot klankenfeest over de stille, besneeuwde heide. 't Was of overal bellen klingelden; het rinkelend zilveren geklank liep over de witte vlakten, het bleef in de bossen hangen, het tuimelde, het regende uit de bomen. De kruinen waren ermee gevuld. De witte landen zongen.

Ze zagen slechts, op heel hunnen weg, een oud, zwartgekapmanteld vrouwken dat met een bussel sprokkelhout voortsukkelde, in de richting van een ver, klein hutteken. Overal waar ze gegaan had, gaapten hare voetsporen in de sneeuw. 't Was één lange stippellint dat vanuit het bos in grote kromming achter het wijfken liep.

Hoe genoten ze van dat rijden in de slee, glijdend over den malsen, molligen sneeuw, omringd van wit-wit, belgerinkel en heilige natuurstilte! 't Was een feest! Het kwam aan de ziel!

En hij stond recht, Pallieter, recht van overmatig geluk, en soms liet hij honderden knallen van zijn zweep naar de verre einders lopen, of zong de strofe van een machtig lied. Loebas liep vooruit en baste naar grote kraaien.

Ten leste kwamen ze in een dorp terecht, en hielden stil voor de afspanning 'De Zwaen'. Ze gingen binnen en dronken er korten drank.

Beiaard, die met de slede aan de poort bleef staan, deed wat, en seffens vielen de tjilpende mussen, met hun bekken wroetend in de verse peerdevijgen.

't Was stil op 't dorp, dat een kring rondom het kleine maar hooggetorend kerkje vormde. Het kerkje in roden steen met witte banden, stond er liefelijk middenin, met zijn witte kap en besneeuwde galmgaten.

Het was overal om ter stilste, de levenden waren zowel vergeten als de doden, wier zwerte, scheve kruiskens nevens den kerkmuur nip opstaken uit den sneeuw.

De klok bromde tien slagen door de lucht, en de klanken hommelden verre weg over de daken en de velden.

Pallieter wilde van daar hoog de velden zien. Terwijl de vrouwen rond de rode stoof zaten en vertelden met de waardin over den strengen winter, zocht Pallieter den koster, een schoenmaker met een houten been. Het kostte veel moeite eer de vent toestemde, maar het geld won.

Ze klommen beiden op den killen, stenen wenteltrap, kropen door doffig balkwerk voorbij de twee klokken, die verlicht werden door de galmgaten. Dóór de latten zag Pallieter de witte wereld onder hem, besneeuwde hoeven, bossen en ver in de verte andere kerktorens. Maar hij wilde hoger, en boven in den top van de steile spits wierp hij een houten deurken open en God! de aarde opende haar ziel!

Vlak onder hem de kleine kom van 't dorp, met zijn door palmhagen gescheiden hofkens en de éne straat, die uitliep in het opene veld, dat zich, uren ver, wit uitstrekte met bossen, vlakten, waterlopen, eenzame huizen, traagdraaiende molens, kasteeltjes, bomenbeplante wegen en andere dorpen, tot ginder heel, heel ver, waar de besneeuwde heuvelen van Grobbendonck zich wazig aftekenden op de loodgrijze lucht, die zwaar en roerloos over de witte wereld stond!

Het menselijk leven was nauw te bespeuren in al die witheid en telde niet meer. Een schaars zwert ventje op het land of op een grachtbruggesken, en een wagen op den steenweg.

O, heel de witte, witte wereld! Hij was er niet meer als nodig om te groeien, te leven en leven te geven, maar als om niets anders te doen dan schoon en wit te zijn. En heel het land was stil lijk de sneeuw zelf.

Vervoerd riep Pallieter:

'De aarde bidt! Laat alle klokken los!'

'Neeë, nee!' zei de koster, die dat hoorde, 'er is vandaag niks te doen, morge.' Maar Pallieter liep naar beneden, naar de klokken, zette zich op den houten balk, duwde en duwde; en de klok begost te zwieren, de klepel ronkte tegen het brons, nog een klank, en plots was het in vollen gang. Het klokkegelui vulde de torenkamer en viel langs de galmgaten over de wijde, witte wereld met een zot gejubel. Pallieter was lijk dronken, de klanken gonsden en ronkten door hem heen, en bij elk omhooggaan zag hij door de galmgaten de wereld wit in sneeuw!

De koster trok aan zijn weinig haar van schrik, en beneden kwam de pastoor verbaasd aan zijn venster naar omhoog zien.

Als Pallieter er goed van genoten had, ging hij in 'De Zwaen' een potteken koffie drinken, en toen reden zij langs een anderen weg huiswaarts.

Hier en daar hoorden ze vredig dorsgevlegel en jagerschoten en van achter een bosken kwam gekrijs van een verken, dat men keelde.

Pallieter zweepte op Beiaard om er gauw bij te zijn. Als ze er aan kwamen, rochelde het verken nog en de slachter tapte het bloed af in een eerden teil; het bloed gutste over de pan en sprenkelde rood in de sneeuw. De vrouw stak een vuur van rijshout aan om het haar af te branden.

Het was een vet varken, een model, en Pallieter vroeg om de helft te kopen. Er werd geboden en afgeboden en eindelijk kreeg hij tegen ordentelijken prijs een halve beest. Als er de darmen waren uitgehaald, droeg hij het in de slede, en kreeg het de ereplaats tussen Marieke en Charlot en zo reden ze dan verder door het witte land naar huis.

OUDE ZANGEN

Na den noen was het grijs uit de lucht en wierd de hemel bleekblauw met een verre slappe zon. De koude was bijtend, en voor den vlammenden haard zat Pallieter nu een pijp te smoren. Marieke zat te naaien nevens hem, en Charlot was in de andere plaats aan 't kousen stoppen. Het was stil en innig. Tybaert lag op Mariekes schoot te ronken, de hangklok tikte kalm over end' weer en boven het vuur zong de geelkoperen moor. Pallieter genoot van de vlammen die rond de grote houtblokken kronkelden. Het was er zo vol vrede, het hout kraakte, en buiten, op de hofgracht van 't Begijnhof, schaverdijnden vele begijntjes. Hun gesnap en helder gelach weerklonk fris door de lucht. Over de Nethe hadden de jongens het Molenbeemdeken schoongekeerd, en nu was er een hele hoop volk aan 't rijden, mensen van den buiten en mensen van de stad. Men leurde er met appelsienen en smorende oliekoeken.

Pallieter bleef thuis om de zangers te horen die Kerstmis kwamen wensen en toch soms zo'n schone, naïeve, roerende liederen meebrachten.

Er waren er al verschillige geweest, kinderen en grote mensen.

Weer werd er gebeld, en vijf vrouwen, waarvan drie in kapmantels, de andere met bonte sjaals op het hoofd, kwamen binnen met hun klonen in de hand.

'Meuge w' is zinge, menhier?'

'Lot hoere,' zei Pallieter.

En met slepende stem zongen ze het tedere, weemoedige liedeken:

"'t Was op enen nieuwjaarsmorgen,
't Was op enen nieuwjaarsdag
dat Maria Magdalena
ons Heer Jezus wandelen zag.

'Sta maar op Maria Magdalena,
Sta maar op uit uwen bitteren nood,
al uw zondekens, die zijn er u vergeven,
al waren zij nog eens zo groot.'

Ze kregen peperkoek en brood als ze gedaan hadden. Pas waren ze weg, of de drie blinde venten kwamen binnen. Een ervan droeg een papieren ster met rode bloemen bezet.

'We komen hier as de drij keunige, w' hemme dees ster gekrege, we kunne e schoe nief lieke.'

'Jommor,' zei Pallieter, 'g'het elle nie verklied.'

'We kunne makandere nie zien, menhier.'

'Wacht dan wa',' zei Pallieter, 'ge zult iens zoveel geld rondhale as ge verklied zij. Charlot, heuld is wat ijd kliergoed van de zolder!'

En Pallieter begon ze nu te verkleden.

Den eerste, die klein en dik was, en wiens ogen rood waren uitgezworen, werd voor baard een stuk witten wat aan zijn gezicht geplakt en een blauwe slaapmuts opgezet.

De andere was een korte, gebochelde, met gesloten oogschelen. Marieke sneed voor hem een papieren kroon, beplakt met zilverpapier van chocolade. Dat werd over zijn bolhoed geschoven, en hij kreeg als mantel op de schouders een blauwen voorschoot van Charlot. De blinden lieten hen begaan en lachten als ze malkander betastten. De derde, die het sigarenkistje droeg om het gekregen geld in te bergen, was een lange, magere vent met een Leo XIII-gezicht, waarin het wit van zijn doffe oogbollen altijd naar den hemel zag. Hij wierd zwert gemaakt, en zette een verkreukelden hogen hoed op. Op enige minuten was 't gedaan en verbeeldden ze Gaspar, Melchior en Balthazar.

'Nij kunde zinge,' zei Pallieter.

De drie sukkelaars, die malkander niet konden zien, malkander nooit gezien hadden, moesten toch lachen, omdat ze wisten dat ze verkleed waren en ze sloegen er menigen fijnen, zotten slag uit. En ze zongen met den lach op den mond, terwijl de korte de ster over end' weer draaide.

En onregelmatig, oud en kapot en zonder voois klonk het:

> 'Herdets, brengt melk en zoetigheid,
> den lieven Jezus ligt en schreyt;
> hangt uwen langrock voor den wind,
> de voedstervader zorgt voor 't kind.
>
> Maria geeft hem suikerpap
> en Jozef brengt den windellap;
> den lieven Jezus krijt van dorst,
> Zijn moeder geeft hem haere borst.
>
> De locht vol schoone vogels vliegt,
> een engel met Maria wiegt,
> daar Jozef werkt den heelen nacht
> en wascht de luiers in de gracht.

Nu maeckt hij vier, dan raept hij hout,
want in den winter is het koud,
maar nu is Jozef zeer verblijd
omdat het kind niet meer en krijt.

Slaapt, Jezus, slaapt, Emmanuël,
slaapt, grooten Prins van Israël;
Duizend sielen zijn verblijd
omdat gij nu geboren sijt.

Den goeden God in d'hemelpoort
en is op ons niet meer gestoort,
want Jezus brengt den olijf meê:
dit kindje brengt ons peys en vreê.

Zoo Maria haer heylig kind
voor 't vier in diverse doeken windt,
Zijn handen spelen hier en daer
van haere borst tot in haer hayr.

Uyt Jezus' wezen vloeyt een soet,
een soet, dat mijn siel leven doet;
Segge ik nog: Bethleëm ik mis,
want nu den stal een hemel is!'

Pallieter was er door gepakt, de tranen lekten van zijn kaken.
De drie blinden bleven wachten, gretig naar peperkoek en geld.

'Wa' moet 'k ze geve?' vroeg Charlot.
'Dat is ni te betale,' zei Pallieter.
'Gef ons mor wa' da' menhier belieft,' zeiden de blinden.
'Geft ze 't half varken,' gebood Pallieter.

En hoe verschoten de drie venten, als hun vuile handen het vette verken betastten. Ze riepen ondereen, wild van blijdschap, en met hun drieën droegen ze eraan, lieten ster en sigarenkasken achter en sleurden en porden zingend het half verken naar 't Begijnhof.

Er kwamen er nog veel totdat het avond wierd. Nog reden er begijntjes op de hofgracht en bleef er gewoel op het Molenbeemdeken.

'Nij gon ek oek schaverdijne,' zei Pallieter.

Hij kleedde zich er naar, en ging langs den hof naar buiten. Hij spande de schaatsen aan, gezeten op zijn schuitje, dat half in 't water stak, bevrozen en besneeuwd. Hij danste eens rond op het besneeuwde ijs van de Nethe, en schoot er dan van onder, wiegend als een vogel in de lucht, rank en licht als een pluim.

Hij scheerde over de vrije, vaste waterbaan, en zijn hoofd stak juist genoeg boven de dijken uit, om het landschap te kunnen overschouwen.

De zon zakte rood in een purperen adem weg, kleurde even lichtelijk de sneeuw, en de rijpende maan in de groene lucht begon te glanzen.

Een vette ster sidderde boven den molen, die nog altijd draaide in de groeiende schemering.

Pallieter reed maar altijd door, zacht wiegend als meegedragen door den wind. Zo kwam hij tegen Duffel. Het was al donker, en er brandden lichtjes in de eenzame huizekens. De zilveren maan lei schaduwen op de sneeuw. Verre geluiden stierven. Aan een vastgevrozen schip hield Pallieter stil, trok zich er op, en bleef van op het dek naar den avond zitten zien. Door het open vierkant kwam de rode gloed van 't lamplicht. Een vrouw zong haar kind in slaap.

De schaatsen over den schouder, ging Pallieter langs den kronkelenden dijk naar huis. Het was volle avond geworden nu, maar de maan had opnieuw het land verlicht met zilverblauwen schijn. De sterren rilden hoog en klaar in de lucht en het land was zo helder, dat men de ogen vrij had als bij dag. Het was stil en eenzaam. De sneeuw kriepte onder Pallieters voeten, en zijn korte schaduw volgde hem blauwig mee als een ander wezen, en de schaduwen der bomen, donker op de witte sneeuw gestrekt, bogen zich herhaaldelijk over zijn lijf. De maan ging mee met hem. Zij was helder en klaar, en achter de zwarte bomen schoof ze maar altijd mee. De bomen aan den overkant, die met de volle heerlijkheid van haren schijn werden gedoopt, lieten op hun besneeuwde takken sterren pinkelen en vonken schitteren. Het waren lijk kristallen bomen. Bevroren fonteinen van licht.

De stilte, die over dat sprookjesland hing, was zo schoon als de maan en de sneeuw, en roerde zo innig als de verzilverde blauwte.

Ineens ging er hoog boven hem een ver gerucht op en zoevend vleugelengeruis. Hij zag, en hoog in de lucht ontwaarde hij een machtige wilde-zwanenvlucht, op een lange, lange rij, die heel de streek overspande.

't Was ontzettend in dien goddelijken, lichten, stillen winternacht. Pallieter verroerde zich niet en hij zag en hij hoorde ze verder zuchten en ruisen, de bloeiende maan voorbij, waarop ze even zich aftekenden, en dan, van achter verlicht, den oneindigen winteravond in...

Aldoor denkend aan die grootse vlucht der geheimzinnige zwanen, ging hij naar huis.

Als hij daar kwam, zaten er in de duisternis der kamer vier begijnen met Marieke en Charlot rond den brandewijnpot, waarboven een blauwe vlam wiegde, die hunne nieuwsgierige blikken blauwig verlichtte. De kamer rook naar versgebakken wafelen. 'Hoera!' riep Pallieter, wiens maag hol was lijk een doedelzak, en hij schoof bij hen, at een dozijntje wafelen, die hij ferm overgoot met volle pinten van den lozen brandewijn.

Daarna werd de lamp opgestoken en speelde Pallieter mee met de begijntjes het waarachtig ganzenspel, tot het tijd was om naar de middernachtmis te gaan.

Pallieter zag hen na; op andere wegen zag hij nog mensen in dezelfde richting gaan. Stil werd het terug over de wereld, wit en zilver.

Christus werd vandaag geboren, de schapen stonden nu met den kop naar het oosten, en de bijen zongen in hunne korven!

Het is de Vrede die moet komen over de wereld!

Daar hoog pinkelden de sterren en hieronder baden de

mensen voor den Vrede, den Goddelijken Vrede, die vandaag over de witte wereld kwam.

Pallieter voelde dat, hij werd er koud van, haalde zijn jachthoren, en op de Begijnenvest blies hij, op het koperen tuig, den witten maannacht in. De zware klanken, traag en lang geblazen, sleepten over de witte besneeuwde velden, en liepen in de Begijnenbossen en de zilveren verten uit. Als hij binnen was, hief zich nog in een ver dorp het hoorngeschal vaag omhoog.

Kinderlijk blij was Pallieter als hij met zijn zoet Marieke in de armen in het warme beddeken lag.

Deze dag was schoon geweest! Een feest voor hart en ziel! Een geestelijke vreugde.

En hij sliep in met den lach op den mond, wijl de wereld koud en wit daaromme lag, overal de Vrede, de Goddelijke Vrede koning was.

DOOILIED

Onverwachts, na een dag dat de ijzel de stammen der bomen, het onderste der takken en alles wat nog niet besneeuwd was, met zilver had betinteld, viel de dooi in.

Een plotselinge lauwte omringde en woog op alle dingen, en de besneeuwde daken en bomen en de ijskegels aan de pannen werden het seffens gewaar, en begonnen te lekken en te druppelen, de sneeuw zakte, het ijs kraakte en scheurde.

Drie dagen nadien dreven de ijsschollen op de Nethe met de tijen mee.

'Het fenste muziek gaat er nij over 't land,' zei Pallieter tot den pastoor. Zij beiden stonden op het stenen bruggesken van 'het Hemdsmouwken', een zijarmken van de Nethe, dat door het Begijnhof zijn smal waterke kronkelde.

Van op het met mos begroeide bruggesken beluisterden zij het dooilied, dat over het Begijnhof zong. Het Begijnhof was oud en innig dien februair-morgen: Lichtmis! De rode gevelen en daken, de witte muurkens, langsheen het water hangend, de knoestige perelaren en appelaren in de kleine hofkes, alles was nat en beklamd, uitgeslagen van het water, en tegelijkertijd vinnig stralend in het helderen zonneken. Het was inderdaad maar een zonneken, maar het maakte over de aarde in al dat water zulk een groot lichtgespeel als een volwassene zomerzon. Het hong in de lucht vernieuwd en fris lijk een schitterend gouden waterplasken. Hier en daar tegen de pannen, op de bomen, in een bloempot of een omgekeerde kuip, blankte nog de witte sneeuw die eens het land verblijdde, maar de sneeuw moest weg, zijn tijd was uit. Onder den sneeuw door waren verse krachten opgestaan, waarvoor hij uit den weg moest; uit de lucht waren zijn vijanden gekomen, met aan 't hoofd de jonge zon. En zij beglansde hem, loech er stekend op en door, en hij smolt, de goede sneeuw, en lekte en drupte in zingend, stralend water dood.

Zoet muziek van blinkende perelen, overal! Met de zon er in waren het als perelensnoeren die van de bomen en de pannen hongen. Zwaar, kletsend en rap, dreste het uit de dakgoten, het zong in de zinken buizen, plaste op de straatstenen en 't klopte lijk harde kneukels en marbollen op het ingezakte, geel-geworden ijs, dat schitterde in de zon. Er waren van alle watergeluiden, rappe en korte, gedruip en gelek, gebonk in emmers en tonnen, gedres en geklets en hoe meer het oor luisterde, hoe rijker het iled aan klanken werd.

Het was de zang van de nieuwe zon, de eerste stemme van de naderende lente! En de zonnige lucht was vol klokkegegalm. 'Nij zulle we gauw on 't goe weer zijn,' zei de pastoor. En na ene stilte en een zucht: "t Is toch spijtig,

Pallieter, da g' onze streek verlaat en de wereld intrekt. Och, bleft en bouwd oe wa' verder 'nen hof. Dorbij, as er e jaar over de nief Nethe is gegroeid, zuldet weral gewoen zijn en zuldet schoen vinne. Bleft!'

'Da's allemal waar,' wedervoer Pallieter, 'de streek mag na de veranderinge duzend kiere zo schoen zijn! — Mor het gedacht en 't verlange oem overal en nieverans te wonen is in mijn bloed geslage. 'k Moet weg. Dad is in mij opgekome med in september, as 'k trijwde, ooievaars hiel hoeg in de loecht zien weg te trekken.'

'Nor waar gade?' vroeg de pastoor.

'Dat weet 'k nog ni, 't is iender waar,' zei Pallieter.

'Ge zult er veul genot van hemme,' zei de pastoor. 'Was ik zo oud ni, 'k ging mee!'

'En oewe rok dan?' vroeg Pallieter.

'Da was ik vergete,' zei de pastoor lachend.

'Kom, we gaan nor Fransoe, kaves drinke oep de schoenheid van den waterzang.' Ze gingen van 't Begijnhof weg en wandelden over de Begijnenvest. Uit de driedubbele hoge bomenrij, machtig van bouw als een kerk, met de landschappen als ramen, vielen de grote, zonbestraalde lekken zo menigtallig, dat het als regen was.

De blijde, zotte perelendans!

Ze klopten op de bomen, sprongen van den enen tak op den anderen, ze vermengden zich, en de een viel rapper dan de ander. Soms kwamen ze met handsvollen naar beneden gerold, dat de pastoor zijn tikkenhaan er bijna van inbutste, dan ging het weer op een wandelpas, om ineens weer zot neer te bonken en Pallieter zijn rug zo nat te maken als een opneemvod. 'Lot ze mor klappe!' zei Pallieter, 'ze rieken nor de lente!'

En zij lieten zich maar bedruipen, dat het nat in strepen over 's pastoors zwarte soutane naar omlaag rees, en het rond Pallieters hoedje lijk gouden bellen hong. Ze blonken allebei.

'Luistert,' zei Pallieter.

'Hoort!' zei de pastoor.

En zij beluisterden het muziek van den koelen blinkenden perelendans.

Het land was een weelde van fijne koleuren en tedere tinten. De sneeuw lag er nog bij plekken, en er hongen heel fijne nevelen, die de verten bewasemden, en het rood der daken en het zwart der bomen verzachtten. Door de nevelen weefde de waterzon de weelde van haar jongen glans. En de verten waren daardoor lijk oude tapijten.

'Zie!' riep Pallieter, naar een sneeuwplek lopend in het gras, 'een snieklokske! een snieklokske!' Door de sneeuw had zich, spijts koude en wind en schraalheid van de lucht, het bloemeken opgewerkt en belde nu zijn blanke klokskes onervaren in de lucht.

'God heeft zijn teen reeds op aarde gezet!' juichte Pallieter.

'Wij meuge God danke, de winter is uit!' zei de pastoor. 'En ginder is het leven-geven al in volle gang,' riep Pallieter en hij wees naar een boerderij over de Nethe waar twee boeren een witte veers lieten bespringen door een jongen, rosgevlekten stier. Op een ogenblik was het gedaan, en was er zich in die koe nieuwe leven aan 't bereiden. Daarna sprong de stier wat op en neer, en sloeg met zijn achterste poten een emmer en aardklonten in de lucht.

'We hemme 'ne fijne Lichtmis,' zei de pastoor.

'Ik hoor het licht krake,' juichte Pallieter.

'De bomen wiene van vreugde,' zei de ander.

'Kom, nor Fransoe, verse kaves drinke op de kommerschap van de lente!' en dit zeggende nam Pallieter hem vast, en zij gingen arm aan arm naar de Nethe om over te steken. Doch het ijs was gebroken en dreef aan in grote, gele schollen met luid gekraak, rap tij op; het schuitje stak nog altijd onder water, vastgevroren in het ijs.

'Maar Pallieter,' lachte de pastoor, 'daar kunne wij oemmes ni over! Laat oens de stad oemgaan.'

'Da ga' vanzelf,' sprak Pallieter, 'geft mij maar 'ne pol.'

'Neeë't,' zei de pastoor, ''k ben nog te joeng oem mij leve te risekere.'

'Ik kan springe,' zei Pallieter, 'ge weurdt nij toch ni verveerd? Doe da' morge!'

De pastoor liet zich overreden; hij had veel vertrouwen in de vlugheid van Pallieter.

Pallieter nam den pastoor op zijn rug, ging den dijk af, en sprong op een voorbijschuivende schol, maar die kraakte en klonk om, doch alvorens Pallieters voeten water hadden geraakt was hij op drie, vier schollen gesprongen van de een op de andere, tot hij eindelijk in het midden stilhield op een grote sterke ijsplaat.

'Springt voert!' riep de pastoor.

'Ni,' zei Pallieter, de pastoor neerzettend, 'voeld is hoe aangenaam het is, zoe te wandelen oep het water.'

En alzo lieten zij zich meedrijven op de Nethe. Charlot had het gezien, kwam wanhopig naar buiten gelopen, trok aan heur haar en riep heel de streek bijeen. 'Zij verdrinke, menhier Pastoer verdrinkt! Een koor, 'n koor, kom, hulp!!'

En zo hard ze kon liep ze naar de Nethe, en achter de twee drijvende mannen. Maar hoe verschoot ze, als de pastoor haar toeriep: 'Hewel Charlot, vinde ni da 'k 'nen goeie Sinte Peterus ben?'

Ze rilde op haar dikke benen en van alteratie zei ze 'Neeë...'

Zo lieten ze zich mee naar Fransoo drijven om bij hem de uitvaart te vieren van den winter, die nu uitlekte in zoet muziek en stralende perelen.

DOEDELZAKKEN

Als al de sneeuw en het ijs gesmolten waren, dook de zon weer weg en zemelde het twee weken een fijnen, killen regen. Toen was uit het bleke zuiden een lauwe wind over het land gekomen, ievers van achter de Begijnenbossen, en twee dagen na Aswoensdag hadden de zwarte bomen en 't klein hout reeds een spikkeling van zwellende botten. Pallieter, die het 's morgens van uit zijn torenvenster zag, riep luid en achtereen: 'Ik zien de lente! Ik zien de lente!'

Hij vergat zijn koffie, en bleef den eersten sprong van 't leven roereloos en aangedaan bezien.

De zon was weg achter hoge, dunne wolken, maar de verten waren nooit zo helder-diep en open. In de verste bomen zag men duidelijk de zwarte eksternesten, en door de takken draaiende molens van verre dorpen; heel het land lag open, heel de wereld bloot en vertoonde, als nog nooit gezien, tot aan den klaren einder den groten rijkdom van zijn bomen.

'O! de bomen! de handen van de aarde!' riep Pallieter. De handen waarmee zij haar werk volbrengt, waarmee zij bidt en juicht, al hare schone kracht in wilden geestdrift telken jare naar den hemel heft, en waarmee zij den mensen hare schone, zoete vruchten biedt.

'Leve de boeme!'

En zie, daaronder op den over-Nethedijk hong een vent in een der kanada's, met een bijl de takken af te kappen, en ginder scheerden een boer en een boerin de haag van hunnen boomgaard.

Dat gaf een fris en blij geluid in 't land, dat stil was en vol vrede.

"'t Is vandaag nief maan!' riep Pallieter, "'t zal groeie dat het krokt!' en hij naar beneden om de snoeischeer.

'Mor kom toch iest kaffe drinke, ge zij nog nuchter,' riep Marieke.

'Wij hemmen al gedaan,' zei Charlot.

'Seffens lifke,' zei hij tot Marieke, 'mor kom buite nor de lente zien, hij hangt te rieken in de loecht, och 't zal zo goed on ons Pallieterke doen!' en hij wees op haren schoot, 'hij zal er ni willen inblijve.'

Hij trok Marieke mee naar buiten, in den boomgaard.

'Och, ziet de boeme,' riep hij, 'ze wippen omhoeg!' Hij plukte een mager twijgsken van een kruidnagel. 'Zied is wad e plezier da taksken is, het rikt fris lijk appelsienen,' en hij stak het in Marieke heur dik haar. Ze stonden er allemaal vreemd, de bomen, in hun naakt en zwart geraamte, met hun zotgeschoten, gewrongen en gekronkelde takken als ineens uit den grond gefonteind, omhoog gesperteld, en alzo verhard en verhout in den eersten wip van hun levensgeweld.

Maar zij waren gevoelig en gewillig als 't vlees van een jonge vrouw. Allen hadden 't leven gewaar geworden, en de blijde kitteling ervan gevoeld. Er waren daar onder andere scheefliggende, geholde appelaars bij, die als rotsen hard schenen te zijn, dood voor de wereld, stookhout, maar de eerste lauwe wind had niet gewaaid, of ze hadden zich verroerd, hun hout gebroken, en speldekopkleine bottekes gegeven, even vlug en veel lijk het jongste abrikozeboomken.

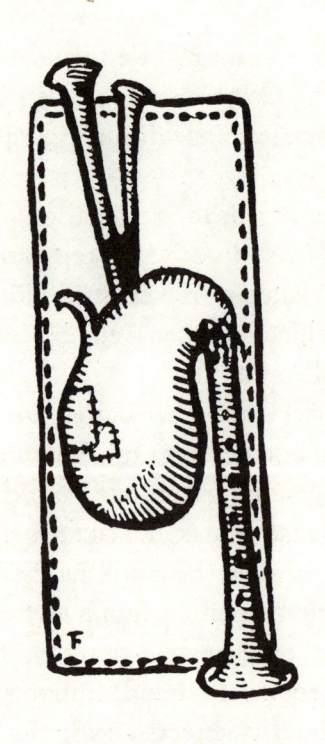

Pallieter zette het dubbel ladderken tegen een perelaar, die nog maar twee keren had gedragen, en nog zwart en triestig was van regen en van kou.

Hij ging op 't leerken staan, vong een tak tussen de scheer, zag, met grote ogen, nieuwsgierig toe, en knip! daar viel de zwarte tak zwaar af, openlatend, wit en blinkend als een doorgebeten appel, een rondeken jong spekvlees van den boom. En Pallieter, die dat zag, lachte luid den gelukkigen lach van een kind.

'Och hoe joenk! kom zien!' en hij stak zijn neus tegen het rondeken en snuffelde, en toen titste hij het punt van zijn tong er tegen en proefde smakkend van het bittere sap.

Marieke kwam op zijn roepen, maar kon niet op het waggelend leerken ter wille van haar dikken buik. "'t Is spijtig! 't rikt en 't smokt zo goe!' en al klappende knipte hij voort. 't Kreeg stilaan een ander uitzicht, 't werd jonger en als 't gedaan was en vol met witte plekken stond geschoren, was het fris en blij, als een kind dat 's zaterdags gewassen was, met een vers hemdeken aan.

Pallieter riep een zotte slag naar den over-Neetsen snoeier, die hem dubbelzinnig beantwoordde.

Pallieter begon aan een ander boomken. Charlot volgde hem om de takken op te rapen. 'Dat is goe stookhijt,' zei ze.

Maar rits! Een merel schoot in den hof, viel op het uiterste sop van den knoestigen perelaar, pikte eens in zijn pluimen en zag toen rond.

Pallieter zag hem zitten tegen de lucht, zwart gelijk een kool, met een rijspapgelen bek.

'Zwijgt! mond toe!' riep Pallieter voorzichtig tot Charlot. En de merel spoot een handsvol zotte klanken uit zijn keel, wachtte wat, als om iets beters te verzinnen, en begon dan lange slepende tonen te fluiten, die van heel fijnhoog allengs daalden tot een ernstige basfluit en toen liet hij alles wat hij kost ineens losschieten, rap en overhoop, tot hij geen asem meer kost halen. Hij zag dan nog eens rond, liet twee vergeten klanken vallen en vloog weg.

'Wa 'ne zot!' zei Pallieter.

De merelklanken hongen nog in de lucht, als er in de doornhaag ineens een wild, klein vleugelengeslaag en getjilp van mussen woelde, die vochten om een pop. 't Was een gestuif en getier lijk van uitgelaten schooljongens; maar de pop vocht zich er uit en wierp zich, gevolgd door de anderen, in de vestbomen, waar de strijd opnieuw begon.

Marieke riep helder en verrast: 'De tulpe komen uit! Komt zien!'

Pallieter sprong van het leerken, zette zich bij haar op zijn hukken, en zocht mee achter de lichtgroene tippekens, die de grond hadden opengeduwd en aarzelend naar de lente voelden.

Terwijl zij waren neergezeten, ging er, laag boven hun hoofd, een groot geruis van vleugelen. Pallieter zag op en een grote vlucht duiven scheerde over den hof en roeide de velden in.

De velden met het bleke licht er over! Pallieter zag ze zo liggen, doorheen de zwarte doornhaag, met boeren en peerden op het land en zeilschepen op de Nethe!

'Mor ik gon wandele! rikt!' zei Pallieter. Een korte, bolle wind zaaide een vracht versen aardreuk, vermengd met beer, over den hof.

'Mokt lose goemersoep, ik drink ginne kaffe!' Hij ging even in de keuken. Met een boterham in zijn hand, en met een loopken en een sprong, was hij over de haag en op den weg. Loebas deed hetzelfde, liep vooruit en baste uitgelaten. Als de boterham was opgegeten, stak Pallieter zijn pijp aan en zag voldaan, hoe de blauwe smoor bijeenbleef in rondrollende krollen.

Hij snoof gulzig de vernieuwde lucht op en zag met grote ogen het verre landschap door. Verre molens die kruisen sloegen, en kerken en hoeven zag hij nu, terwijl hij ze in den zomer, door de overdaad van 't groen, niet eens vermoedde.

Hij voelde zich verjongd. Zijn hart was verduft van 't in-huis-zijn, verdeegd gezeten, en het klopte en snakte om bespoeld te worden met den goeden asem van het veld.

Er kwam slechts van hier en ginder de echo van een bijlslag, en 't klaar gekraai der hanen. Verders was het stil. 't Was stil en toch vol ingetogen leven, dat weer aan 't wroeten was en uit zijn slaap ontwaakte.

Pallieter voelde en smaakte en rook en zag dat leven. Hij voelde het in hem als een zwaren polsslag, die door de wereld ging en bij elken klop zijn hert geraakte.

Het gaf hem groot geluk. Hij werd sterk en groot en begost te zingen, mee op den beiaard, die langzaam, door een kalmen wind gestoten, een oud, schoon lieken over dezen kant der velden strooide 't Waren als klanken van zwaar goud en huppelend zilver, en in de verte floot een snoeiende boer het liedje mee. En het klonk:

"'t Was op een rivierken dat si saten,' enzovoort.

Hij kwam aan overstroomde beemden. Een meeuw wiekte touterend daarover, met stille open vleugelen, en Loebas, die het zag, stak zijn neus snuffelend in de lucht en liep dan door het water, dat rond hem opstoof in stralen en in druppels. Pallieter bleef staan zien naar den verren Nethedijk, waar er lieden, klein lijk mieren, in de verte een rote bomen neervelden.

'Och arme, de boeme, en just als ze nief bloed ginge krijge. Mor het leve sterft ni, ginder is het al terug!'

En op het hoge veld, achter twee ossen die den ploeg trokken, ging een zeer zwangere vrouw, zaad in de aarde strooiend. Pallieter deed zijn schoenen uit en waadde door den overstroomden beemd. In de lucht kwam er wat ruimteblauw en ineens, van uit een wolkenspleetje, stak de zon heur gouden licht op de verre, zwarte Begijnenbossen, en zie! het zwarte bos werd plots rood-purper in den zonneglans, en bleef alzo, een wijle helder lichtend in het land. Op een weg, die er blond in liep, en donker achter de boomstammen verloren kronkelde, gingen twee mensen, een man en een vrouw, elk met een zak op den rug. Toen riep er van ginder een koekoek, en de hemel ging weer toe.

'Oh,' juichte Pallieter dansend. 'De botte zwelle lak moeders!'

Het was de lente die openberstte, de eerste verroering

van het leven der aarde. Het rilde door de wereld heen, niets had het kunnen tegenhouden. De perijkelen des hemels hadden er nacht en dag op gepekt lijk 'den duvel op Geeraard'. Het lichaam was vermassakreerd om bij te bleten, maar de ziel, de goddelijke ziel, was zuiver en onaantastbaar gebleven, en richtte zich weer op, om open te breken in al wat van de aarde was.

Het leven kwam terug, sterk en rijk zoals voorheen, om te leven, om niets dan te leven!...

Verder scheerde een herder de wol van zijn schapen, en terwijl de enen nog met hun vuile dikke vacht in de kooi te wachten stonden, liepen de geschoornen, wit als botermelk, wellustig blatend rond, blij om de reine lucht die vrij en bloot hun buik en rug verfriste.

Overal hong de reuk van 't wakker-wordend hout als een zware balsem, en overal klonk het geklop der bijlen en kapmessen. Een verre smidshamer verhoogde de heerlijke stemming. Pallieter kwam in een bosken, de blaren lagen er rot bijeengekoekt, en een grote vogel vloog krassend voor hem op.

Hij rook het leven aan 't gisten onder den grond en in de bomen. Hij betastte de bomen om het te voelen. Hij kon er zijn ogen niet afslaan en stond met open mond hun leven te bewonderen. Hoe zij dik van 't sap waren, hoe het in hun hout gevangen zat, worstelde, spartelde om vrij te zijn, van geweld de takken opduwde, ze deed schieten en klimmen, draaien en buigen, wringen en kronkelen van drift, en daar waar het dan eindelijk de schors scheurde en zon zag, versteef het tot een blad, tot een bloem, tot een vrucht. De bomen zijn de handen van de aarde.

Pallieter liet een zucht; hij had eens een boom willen zijn om die volle davering van het ontwakend aardeleven door zijn lijf te voelen gaan. Hei! en daar was er daar een bij, een reuzige olmekarkas, duizend jaren oud, badend in grijs water, die Pallieter deed uitroepen: 'Nog noet hee God za zo goe late zien!'

Het was een uit-den-grond-gebroken zenuwknoop der aarde. Hij was in tweeën doorgekraakt, vol holten en scheuren, groen lijk uitgeslagen koper, beplakt met plaasters mos en knobbelen zwam, omkleed met klimop en van boven op een der uiteengespleten stukken was er uit een oude rus gers een paar madeliefkes gegroeid, één nog in den knop en 't andere melkwit opengebroken, met de puntjes van zijn kroontje rood, als in wijn gesopt.

En Pallieter, aangedaan door al dat wild, barbaars en overtollig leven dat zo rijk bijeengekoekt zat in die levensvolle bomenklomp, sloeg er zijn armen rond en zei vervoerd: 'Bruur Boem, Bruur Boem!'

Als Pallieter noen hoorde toeten op een hoeve, was hij zo vol honger en zo ver van huis, dat hij op die hoeve aftrok om er te kunnen eten. Doch de Nethe lag er tussen, ze liep op haar laagst; een beeksken tussen gladde buiken glanzend slijk. Hij strooopte zijn broek boven de knieën, stak in elke broekzak een schoen en waadde door de lage rivier.

Achter een groene vijvergracht, waarin oude bomen lagen neergeveld, rees de ouderwetse schuur, met torentjes bezijds, op. Een schaap stak zijn kop door een spleet in den muur en bleef Pallieter onnozel bezien; waar het water wat klaarder was, dreef een trotse zwaan, trouw gevolgd van een groen kwakend eendeken. Een knecht stond tot aan zijn knieën in 't water paling te steken en achter de schuur en de vijver blankte tussen hoge zwarte bomen de witgekaleide hoeve. Pallieter stapte over het houten brugsken en vroeg aan de dikke boerin, die aan de deur in een blauwen boterstand te stompen stond, om te mogen mee-eten.

'Zeker Pallieter,' zei Sophie, 'kom mor binne.' Ze kuiste haar handen af aan den voorschoot en wees hem zijn plaats aan de lange, doorzakkende tafel, wel met vierentwintig telloren bedekt. Van alle kanten, uit schuur, stal en veld, kwam het werkvolk, mannen en vrouwen, en zette zich rond de tafel. 'Ik moet van ieder e patatje hemme!' riep Pallieter. "t Is a gegond, van herte!' riepen ze terug. Sophie bracht de smorende patatten op, en wel vijftien meters worst die knerste in de pan.

Toen klopte de magere baas zijn vorket tegen zijn telloor en daarop viel er een grote stilte, waarin de scherpe stem van een rechtstaand jongsken den 'Onze Vader' bad. Al die ruwe handen waren gevouwen en de ogen neergeslagen; buiten kakelde een kieken om een ei te leggen. Als het gebed uit was begost ieder te eten. Pallieter zag scheel van den honger, want dat éne boterhamken van den morgen was al lang verteerd. Hij vulde zijn maag met een dertig schoongele aardappelen, waaronder er geen enkele verlegen was, en weldra bleef er van de el worst niets over dan het steertje met een koordeken eraan. Dat kreeg de poes.

Terwijl zij nog bezig waren, hoorden zij op het neerhof geronk van doedelzakken, en 't getril van een schelle hobo. Een ieder sprong juichend op en liep naar buiten. Het waren vier Bohemers, drie pijpend elk op een doedelblaas en de vierde met een hobo. De mannen speelden zonder iets te zeggen onverschillig voort. Ze waren vuil en ongewassen, met lompen en lappen bedekt, met bonte dassen aan den hals, en pluimen op den hoed. Zij roken naar de lucht en naar den grond. Pallieter stond geslagen over de schoonheid van hun muziek. De doedels ronkten drijstemmig slepende accoorden, en het frank en helder gepiep van den hobo danste daartussen, trillend en wippend, wond zich er rond en om, bijeenhoudend het onafgetekend geronk van de pijpende doedels.

Tegen den muur geleund, min of meer schuw van de vuile zwervers, stond het boerenvolk verwonderd te luisteren naar het muziek van andere landen.

Als het lied uit was, ging de hobospeler rond met zijn pinnemuts, en kreeg van ieder wat.

Toen speelden zij nog een kort lieken en trokken er met slepende stappen van onder. 'Ik gaan mee,' riep Pallieter, 'want dat is te schoen! Kom 'k zal elle de hoeve wijze,' en hij ging mee met hen van hoeve tot hoeve, en zijn bewondering steeg voor die vuile zwervers en voor hun schoon muziek.

Pallieter vroeg hen uit, maar zij antwoordden kort en onverschillig dat zij van Spanje kwamen over Frankrijk, dat ze vroeger Zuid-Rusland hadden bezocht, Italië en Tirol, Zwitserland, en dat ze nu over Holland naar Noorwegen trokken, enzovoort.

Hij had voor hen zijn hoed kunnen afdoen, voor die mannen, die zwervend overal hun leven vulden met muziek uit alle landen. Daar was iets reuzigs in hen. 't Waren dichters. Swenst was de hemel opengebroken en nu stond de zon deugdelijk in de lucht, ze lei haren zoeten schijn over de wereld, zette purper in de bottende bomen, en tintelde zilver op de overstroomde beemden. Op de akkers stonden de mensen te werken, in de bomen en in den grond, en in de hoven schupten de hoveniers groentebedden open. Dat gaf een goede reuk. Het land was stil en verre karren, die men zelfs niet zag, lieten hun vredig gedokker horen.

Zo voortgaande van hoeve tot hoeve, kwamen zij nabij het arme gasthuizeken een troepje herstellende zieken tegen, geleid door vier witte nonnekens. Zij profiteerden van het weer en waren vol genoegen om de goede, aangename zon. Het waren allen arme djobbers en sloren van vrouwen. Er sleepten er zich voort op krukken; een nonneken voerde een karretje waarin een 'dood van Ieperen' glimlachte, en een vent zonder benen stootte zichzelf voort met strijkijzers. Een grote, magere vrouw steunde zich aan den arm van een dikke zuster; er waren er met doeken rond het hoofd, mannen met één been, of met zwarte lappen voor de ogen, uitterende vrouwen en sukkelende kinderen. Terwijl de anderen voortkuierden, meevoerend een zwaren gasthuisreuk, zaten er op neergevelde bomen te vertellen of te kijken naar het werkend volk op den akker.

Als Pallieter al die miezerige mensen zag, die blij waren met wat februarizon, zei hij tot de Bohemers, van hier een liedje af te geven.

De vier begosten op hun speeltuigen te blazen en zie, al het zieke volk kwam zo haastig mogelijk afgestrompeld, en schaarde zich in kring rond de muzikanten.

Er was een dikke vent met een afgezette been, die ineens zijn ene kruk naar omhoog stak en op zijn een been en de andere kruk begost te dansen, roepend: 'Ik ben geneze, 'k mag nor huis gaan!'

De andere zieken lachten, en de nonnekens vonden het heel plezierig.

Maar ginder, aan de deur van een herbergsken, verscheen Fransoo, en die riep zo hard hij kon naar Pallieter. 'Kom,' zei deze tot de Bohemers, 'ginder zullen w' is doedelzakke-bier gon drinke!'

Dat was in de vier mannen hun genoegen. En zij gingen. 'Zie,' zei Pallieter tot Fransoo, 'da zen vier zingende pluime, die overal waaie met de wind mee. Bruur,' riep hij, 'da zijn Wagners, Palestrina's, Beethovens, die mor kunne klappe oep hun zakke. Geft ze bier!' Ze kregen ieder een stoop dobbele, en ze dronken gulzig, dat het over hun kin liep.

'Hebd hoenger?' vroeg Pallieter, en hij sloeg driemaal zijn vinger voor zijn mond.

'Dan komde bij mij ete!' riep Fransoo.

'En zulde dan is de bloem spele van 't geen da' ge wet, dat hiel de wereld in muziek vor ons ope ga?'

Ja, knikten de mannen.

'Dan ierst nog gedroenke!' en zij kregen verse stopen dobbele, zij smoorden sigaren, en met hun gezessen zopen ze lijk echte tempeliers.

Zo zaten ze daar nog als de vroege donkeren inviel; en toen gingen ze naar Fransoo.

Het land was badend in de zon, die rood zakte achter zwarten bomenklomp. Het Nethewater, weerom hoog opgezwollen, nam het rood gulzig op zijn spiegel, en de zwarte, kale bomen werden er zoetekens mee bestreeld. Als de zon weg was, hing het gulden rood nog levendig op het kruis van den hogen molen, die stil stond in de windeloze avondlucht.

Een grote stilte en een fijne lauwte viel op het land, in de huizekens gingen de lichtjes aan en in den effen bleken hemel de sterren.

Een blauwe, lichte doom wond zich voor de verten... Bij het lamplicht werd er gulzig verkensgebraad met patatfrit gegeten, dat de dikke vrouw van Fransoo had gereedgemaakt, en kundig bereid met pikkende sausen, kruidnagel, laurierblad en smakelijke thymus. De kinderen van Fransoo waren bang van de ruige venten, schreeuwden moord en brand, en vlogen naar bed. Als zij dik gegeten waren, en het nog eens hadden overgoten met ouden Driesters, zei Pallieter: 'Doe nij ellen boek is ope.' Zij gingen naar beneden. Fransoo's vrouw volgde.

De nacht was over de aarde. Hoog en veelvuldig lijk het haar op den hond, bleekten de lichtende sterren aan de donkere lucht. De stilte was in harmonie met de grootheid van den nacht.

Fransoo maakte een groot vuur aan op den molenberg, dat de molen van onder hel verlichtte, terwijl de romp zich wegstak in de duisternis, en een zwarte blok op den lichtenden sterrenhemel tekende.

Het vuur kraakte en knerste, de gloed verlichtte de vier Bohemers, ruw als duivels. En steeds zwijgend, slechts antwoordend als men ze aansprak, bleven ze daar in het vuur staren.

'Begint mor!' zei Pallieter, die zich met den buik op een strobussel had gelegd. En toen begonnen de drie doedelzakken te ronken en te gonzen, en het rietklankige hobogespeel bibberde hel daarover en daarop en om, als een regen van klank. En voor Pallieters gespannen oog gingen er driftige Spaanse dansen op, weemoedige Russische liederen, sterke zangen uit de bergen en slepende liederen uit de Bretonse vlakten. Heel de wereld ging voorbij in klank, roerend, opgewekt, weemoedig, klagend en teer.

Hij luisterde aangedaan: 't was iets enigs in zijn leven! Zijn handen waren rood van 't flakkerend vuur, boven hem rees, enorm lijk een reus, de zwarte molen, en voor hem lag de helbesternde nacht en het duister, donker land.

O! wat was het heerlijk! al die vreemde zangen uit verre landen, waar nu ook overal de grote nacht heerste en waar een ieder sliep, door Bohemers hier te horen opgaan in de duisternis, nevens een vlammend vuur, en te horen wegronken over het zwarte land der Nethe, waarboven de sterren miljoentallig helderden, en waaronder machtig en zalig de nieuwe lente broeide!

Pallieter werd herhaalde malen koud van ontroering en de tranen lekten op zijn handen. Hij zou nu ook de wereld zien!

Charlot was al lang slapen, en Marieke stond nog in den hof. De kalme Nethe weerspiegelde de sterren.

Marieke leunde over de haag, en zag en luisterde den donkeren nacht in, naar waar er een vuur brandde en doedelgepijp ronkte.

Daar wist zij haren man Pallieter, want zo iets was van hem. Daar wist zij hem, dien zij zo groot en sterk liefhad. Zij had hem verwacht den gansen dag, nog zou hij niet komen, want ginder bij dat vuur was hij gelukkig; zij wist het dat zo iets hem gelukkig maakte. Maar ze wist dat hij haar ook liefhad en misschien denkend was aan haar, terwijl hij die nachtelijke muziek bijwoonde. Ja, dat voelde ze, dat maakte haar zalig en dronken, en zij had thans op zijn borst willen rusten en in slaap vallen, gesust door de vrome, aandoenlijke muziek.

'O, dagenmelker!' zuchtte ze van ongekenden wellust, en zij bleef staan luisteren naar de doedelzakken, die vèr weg gonsden in den duistren lentenacht.

DE KLOKKEN VAN ROME

Pallieter lag op zijnen rug in 't gers den grootsen gang en groei der wolken na te zien. 't Was geweldig!
Heel die woelige meertse hemel stond in zijn ogen. Het waren zotte wolken, die telkens van vorm verwisselden en veranderden, en alle minuten het aanschijn des hemels vernieuwden. Ginder boven klompte er zich een donkere massa blokwolken bijeen, loodblauw en zwanger van hagel en regen. Ze stuurde voorbij de zon, alles meeslepend op haar trotse vaart, maar ze stootte tegen een reusachtigen witten wolkenberg, brak kapot, werd verscheurd en in bleekblauwe repen getrokken, die dieper en dieper den hemel inklommen, en zich ten leste heel hoog tegen de lucht hadden geplakt in schuchtere, witte protwolkskes. Terwijl was er van achter de aarde een rozige bergketen gegroeid, die zich oprichtte langsheen den zuider horizon. Het waren roze rotsbergen, van boven tintelend wit als verse sneeuw en klaar afgetekend op het heldere Lievevrouwenblauw der lucht.

Verre dorpstorekens staken er op af. 't Was een Zwitsers landschap, maar de toppen zwollen op, en torens werden de verre bergen, torens die rezen naar de zon, van boven zilver en goud, en van onder asgrauw, purper en bruin. Wolkenkathedralen met vensters, gangen en nissen; walhalla's! Maar éér men er aan dacht vlokten ze uiteen in wattige brokken, zakten, vouwden ineen en regenden ginder uit over het heldere, bezonde land.

Eén ontzaggelijke, witte wolk, sterk ineengestoken lijk een reusachtige bloemkool, kwam nu in den hemel. Die was baas en koning van de lucht. De volle zon botste er op, en tranen liepen uit Pallieters ogen van het danig lichtgeweld. Ze troonde een tijd boven de aarde, maar vloten kwamen van alle kanten op haar aangestormd, oorlogsvloten, schepen met dikke buiken, wit en bruin, en zij overweldigden haar en zogen al haar zilver en sterke vormen op. Anderen bouwden zich er bovenop, anderen weer dreven wild erover, en zo ging het gedurig en aaneen. Bouwen en breken. En dat leefde allemaal, dat wroette en krioelde en stond geen minuutje stil. De blauwte diepte er fijn en innig tussen en de zon, de paaszon! Want morgen zou het Pasen zijn! De verjongde, malse, gezuiverde zon speelde dwaas en uitgelaten in dat wolkenspel, lijk een kind 's morgens in het witte bed. Ze schoot Mozesstralen, bracht zilver en goud op het purper en geel en wit, en sloeg vonken in de lucht. En wie er meedeed aan dit wolkenspel, dat waren de duiven, die, in kladden of alleen, hoog opstegen, zich uit de lucht lieten vallen, nu eens wit als papier waren op het donker purper, en dan weer als gouden vlokken rakend enen Mozesstraal.

O, het wolkenspel! 't Is schoon genoeg om den eenzamen herder een helen dag mee bezig te houden.

En daaronder lag de jonge wereld, groen en vers.

De dunne wind liep er over met de vlugge schaduw der wolken en het schelle licht der zon.

Zwart stonden de bomen, maar in de zon zag men ze overdekt met geelgroen gaas. 't Waren brekende botten!

Alleen was hier en daar reeds een appelkokkeboomken, dat lichtrood en roos te helderen stond in het rillende leven.

De Nethe was vol zilveren tinteling, en de schepen met witte, gezwollen zeilen.

Maar onvoorziens was het donker en grijs geworden, en klets! de regen en de hagel knetterden hard en dwaas op den grond en op Pallieters gezicht. Lachend sprong hij op en liep schuilen onder een houtmijt.

Van hier zag hij den molen draaien, en veel verder nog molens met rode wieken in het lopend zonlicht. Doch ineens schoot de zon er hier weer door en hing de hagel over de Begijnenbossen, en boven den slanken molen spande er zich, op de donkere lucht, een helder stuk regenboog.

De hanen kraaiden klaar en hel, en onder de houtmijt rook het naar verse viooltjes.

'Veur Marieke!' riep hij. Hij begon te zoeken en daar, tussen het korte nieuwe gers stonden ze, purper en nat, die lieve goevrijdagsbloemekes! Hij meende ze af te plukken, maar stond weer recht en zegde:

'Neeë, 't is te schoon, ik laat ze staan!'

Hij sprong over de beek en ging nevens de velden naar

huis. Het leven herbegon, de lucht hing vol geuren en beloften, en er liepen rillingen van ontwakende frisheid over de wereld. Overal waar er een vinger groeide, stond er een koppel madeliefjes te blinken, en langs alle kanten dreste het zot gesjirp der mussen.

De goede, geurige velden lagen thans ontdaan van 's winters barrigheden. De grond was overal bewerkt, het onkruid eruit gehaald; hij was doorsneden en doorploegd, omgespit, verkneed en gereven, en daar lagen de velden nu, heerlijk in verschillende bruinen gevierkant. Hier en daar stonden mussenschrikken met hoed, broek en frak te waaien in den wind. En het schone werk der velden herbegon voor gans een jaar. Hier en over de Nethe trokken witte en bruine peerden met fieren stap den ploeg door 't veld; de grond viel open in vette schellen. Het was vlees, om er in te bijten. De zaaiers gingen grootslijk koningen over de velden weg en weer, het zaad strooiend in de aarde. Overal zag men ze, kleinlijk vingers, over de Nethe, tussen de bomen, onder den molen en nevens de Begijnenbossen. Ze strooiden het edel zaad. Er woei wind om, en zon. Dat was de eerste zegen, en de gewillige aarde ontving het, was er gelukkig en dronken om, want weer kon ze in weelde gaan baren, al die miljoen zaden hare kinderen maken, moeder zijn... Vele boeren waren aan 't patatten planten, en daar keerden en gingen de beervaten en karren over en weer, wijd verspreidend hunnen snellen reuk.

De sleutelbloemen leien hun goud nevens de sloten. Pallieter plukte een tuiltje ervan en stak het op zijn hoed.

De koeien waren terug in den beemd, en de zwaluwen in de lucht.

Aanhoudend kwamen wolkschaduwen van ginderver donker aangelopen, achtervolgd van helle, natte zon.

Pallieter stond dat allemaal bewonderend aan te zien. Och, hij was zo gelukkig om al die nieuwe heerlijkheid; om de zon en de wind, om de weerkomst van den uitkoom, het volle, open leven!

Och, 't was zo schoon, zo heilig en zo goed! En toen zag hij juist een jager, die bukkend voortsloop naar een goudfezant.

'Verdoemd,' zei Pallieter, en hij meende juist in zijn handen te kletsen om den vogel op te jagen, als de jager zijn hoed afviel. En toen kreeg Pallieter een aardig gedacht. Hij liep haastig naar den hoed, schoof er een verse koeietaart in, en zette hem schonekes terug.

De vogel vloog op, en de jager werd gewaar dat hij zijn hoed verloren had. Hij zocht en vond hem en wilde hem opzetten, maar als hij zag wat er in was, sloeg hij hem tegen den grond en stampte er op lijk een razende zot, en zette vuisten naar de koeien. En Pallieter stond van achter een houtmijt alles af te zien en lachte zich bijna een breuk.

Als hij thuis kwam, met de bloemen verslapt op zijn hoed, wapperde de witte vlag ter ere van het goede weer, en Marieke had in den hof het fonteintje opengedraaid, dat na een hele winter wachtens, weer zilverig opspoot met een frisse, koele perelenpluim.

Charlot was met Marieke in den hof eieren en oranjeappelen aan 't verbergen, die de kinderen van Fransoo straks, als de klokken weerom zouden luiden, mochten komen zoeken.

Pallieter had gisteren al die eieren geschilderd. Er waren er van alle koleuren: bloedrode, botergele, blauwe, groene, andere bespikkeld, gestreept, met krullen en bollen; er waren er bij met een haantjen op, met een manneken, een lachende zon, met bloemen en bomen. Alles om ter hevigst van kleur, en nu ze daar lagen in de struiken, op den grond, waren het als vreemde vruchten, ineens, bij een gril der zon, gegroeid.

Charlot was blij, dat het gedaan was, en zei met een zucht:
'Dormee is de Vaste gedaan en kome de klokke vroem.'
'Ge zijt er toch ni mager van geweurre!' lachte Pallieter.
"k Hem ma toch niks te verwijte,' zei Charlot fier. "k Hem mor iens per dag man gusting geëte!'
'Dan waard' ook iedere kier oem te berste!'
'Watte?' riep Charlot geërgerd. 'As het te veul is da' 'k hier 'nen boterham mier eet as gewoonte, dan weur 'k liever begentje, veul liever dan mee elle mee te gaan nor die vremde streke, wor menseneters en wilde bieste woene! Verstade da? Sloeber! Gulzigen beer!'
'Och kom,' zei Marieke, 'maakt oe nie kwaa, Pallieter zegt da veur te lache!'
'Dan ik oek!' zei Charlot kort en afgebeten, en ze ging in de keuken terug aan heur werk. De meid had nu haar kappelin afgedaan, en weer was heur klein haardotsken voor een hele zomer zichtbaar. Ze had splinternieuwe, zwerte,

blinkende klonen aan, beschilderd met een gelen vogel op een groenen tak.

Na een half kwartierken was ze het gekijf al vergeten, en stond ze te zingen van:

> 'Ik heb tot speelgenootje
> een katje nog zo klein...'

Pallieter wandelde met Marieke den hof in.

'En deur dezen schoenen hof zal de Nethe recht gelijk 'nen regel gaan. 't Is toch spijtig!'

'As ge geren 'nen hof hebt, dan kunde in ons deurp kome woene, dor is 't oek schoen en dor zitte we vrij in de hei en in de bosse!'

'Neeë,' zei Pallieter, ''k heb e gevuul van 'ne vogel: 'k wil overal woene! — Ge gaat toch wel gere mee, eh vrijke?' vroeg hij teder nadien. En zij sloeg hare grote ogen gelukkig tot hem op, lei heure armen rond zijn hals, en zei:

'As ik mor bij ij mag blijve, meugde ma meeneme nor 't ende van de wereld.'

En zij drukten malkander een langen, innigen zoen op den mond.

Charlot riep haar, want de kinderen kwamen, en lachend huppelde Marieke hun tegemoet. Pallieter zag haar achterna, en zei: ''t Is mijn zieltje.'

Maar daar floot een merel in den knottigen kastanjeboom, en vloog toen naar de vest. De vestebomen waren bruin van de botten en hongen vol mussegeschetter. In den hof stonden de perelaars in bleke knop, die elken dag kon openbreken; de pruimebomekens lieten al wat roze zien, de perzikebomen pronkten in lichtrode, weelderige bloem.

De grond, die verjongd was met om te spitten, had ginder reeds melksalaad gegeven, en al verschillige bloemen opengebroken; op het molenheuveltje vettige, vlezige hyacinten, en rond het fonteintje hier en daar reeds een geurende vlier. De pasgesneden haag zag bleekgroen.

Pallieter verschoot van de snelheid waarmee het leven werkte. Het stond nooit stil, het groeide en bloeide allemaal en overal, het brak los uit den grond, uit de bomen en het water; het mos plakte zich op de stenen en de zwam op de bomen, 't ene op het andere, gulzig om te leven, en alles overweldigend in een roes van jonge liefde en brandend om te koppelen en te bevruchten. 't Was het verse bloed dat opsloeg.

Een eendendriehoek keerde hoog in de lucht terug uit de warme landen! En ineens sprongen overal, in stad, dorp en Begijnenhof, de paasklokken los en galmden en jubelden over de wereld de Verrijzenis van God en van het leven! Christus is opgestaan!

De klokken kwamen van Rome terug, en ze zwierden een regen van eieren over de wereld. Het land rook van een nieuwe ziel, de jonge lente stond gereed in de bomen! Alles had knop en bot, het leven jubelde over den dood. 't Was de Verrijzenis, de levengevende Verrijzenis!

En toen, smeltend van ontroering, kuste Pallieter den grond.

DE KRUISEN EN DE ZEGENING
DER VELDEN

Het weer was terug slecht geworden, heelder dagen moten plasregens, grijs, triestig en gesloten. Niettemin werkten de bomen neerstig voort, alleen op eigen kracht. Zij bloemden toch! en de ene na de andere boom hulde zich in bruidsgewaad, en de bloemen openden hunne lippen om al de weelde van hunnen reuk uit te spreken. De zalvende zon bleef weg, en in plaats van dat de bloei uit den grond lossprong, zot en wild en overtollig, gulzig naar licht en leven, kroop hij er uit, langzaam en voorzichtig.

"'t Zal betere,' zei Pallieter, 'as de kruise zulle gaan.' Want zij zijn het toch, de kruisen, die de poorten opendoen voor de schone, vaste dagen en den groten zomer. Al het schoon weer dat vroeger komt is maar schijn en misleiding. En een ieder werkte voort, wist dat het niet anders kon, en wachtte geduldig naar de kruisen.

En juist vandaag, als de kruisen moesten gaan, was er met den nieuwen dag een blijde, bolle wind opgestaan, die dansend over de aarde vaarde en al de waterlagen uit den hemel joeg.

De kruisen gingen. Pallieter en Charlot gingen mee. Pallieter reed achter de processie aan, op Beiaard, en overzag alzo den stoet en het land. Ze kwamen nu in het volle veld. De wind sloeg de rode vanen vooruit, speelde en drukte in de rokken der vrouwen en der priesters, en wierp het Latijns gezang als zaad uiteen over het veld.

Heel de hemel was zilver van verre witte opeengestapelde worstwolken, die langs alle windstreken rond de aarde wandelden. Het licht kwam van de wolken.

Het zaad barstte in de aarde.

En het klonk in het Latijn, het waaide gebrokkeld over de bruine velden, over het schittergeel rapezaad, langs roos-en-blank bloemende boomgaards en riekende hoven: 'Uyt de diepten heb ik geroepen tot u, Heere! Laet uw oren luisterend wezen naar de stemme mijns biddens. Is 't dat gij de boosheden gadeslaet, Heere, Heere, wie zal 't verdragen?'

De rode misdieners rinkelden de bel en zwaaiden den geurigen, blauwen wierook weg. De pastoor in gouden-purpel koorhemd, waarboven blinkend zijn kletskop, sprenkelde met groots gebaar het wijwater zegenend over heel de schone groeiende streek.

De boeren en boerinnen hielden hunnen paternoster vast, en lazen halfluid voor hunne vruchten, de beesten en den grond.

Heel hun leven lag daar schamel en bloot onder Gods groten hemel. Van den hemel hing het alles af. De hemel vol dood en leven, kwaad en goed, vuur en ijs, hitte, zon en lavende waters.

En zij vroegen onderdanig, als tolk voor de sprakeloosheid van 't zaad, de bomen en de vruchten: 'Heere, verhoor mijn gebed met uwe ooren, neem mijn klagelijk bidden in uwe waarheid, verhoor mij in uwe rechtveerdigheid... Want de vijand heeft mijn ziel vervolgd, hij heeft in de aarde mijn ziele vernederd.' 't Was de smeking van de vruchten en het zaad en de bomen na den langen winter, den vijand: 'Hij heeft mij gesteld in 't donker, gelijk de dooden der wereld. Om uwen naam, Heere, zult Gij mij levend maken. Gij zult mijne ziel van de tribulatie uitleiden en mijne vijanden geheel vernielen. Gij zult vernielen allen die mijn ziel verdrukken; want ik ben uw dienaar!'

Het gebed der gewassen des velds! De wind danste over de aarde en nam de woorden op. Onze Lievevrouw en heel de lichtende rij van al de engelen en de heiligen, die den hemel verhelderden, die macht hebben om donders tegen te houden, wateren doen stil te staan en wind te keren, al de heiligen, maagden, martelaren, pausen, zondaren, apostelen en belijders, tot zelfs de duizenden onnozele kinderen, ze werden allemaal als wachters gesteld over de mensen, de hoornbeesten, en de vruchten en de bomen.

En herhaaldelijk klonk het melodie van zware mannenstemmen 'Ora pro nobis' en 'Ora-Orate pro nobis.'

Pallieter bad innig mee. Hij was vol licht en leven. 't Kraakte in hem van geestelijken wellust. Hij had willen vlaggen zwaaien en mede rollen in den wind.

Het bidden was hem te stil en hij verhief zijn stem en zong mee zo luid hij kon met de priesters: 'De profundis clamavi ad te Domine!' En als de processie de velden was omgegaan en terugkeerde, reed hij voort het schone landschap door.

Het was heerlijk al dat bloeiende wit op de bomen! "'t Is het zog der aarde dat omhoog komt en overloopt,' zei Pallieter. 'De zon zal er boter van make!' De grote, blijde wind zoefde door de lucht en bromde in de bomen. Hij schudde het peerd zijn manen en zijn steert, en rukte Pallieters klak van zijn kop, dat zij omhoog vloog lijk een vogel en in 't tintelende water van de Nethe viel.

Doch Pallieter zag niet om, hij reed maar voort, wild en dwaas, zonder teugel, om al het geweld van den jongmakenden wind over hem te laten gaan. Mannelijk genot! Ver gingen de kruisen, wit en rood, langs de blonde wegen, en overal sloegen de molens lijk de priesters kruisen over 't veld, en ginder wapperde de wind een boerenmeid haar rokken omhoog, zodat Pallieter haar blote, roze billen zag. De zon tuimelde ineens door de wolken en dat gaf een taal aan al de koleuren des velds, dat alles sprak en juichte!

'De kruise late elle al gevoele!' riep Pallieter...

En nog den eigensten avond was de wind gaan liggen, kwam er over het land een zoete zoelte, en begonnen de perelaren bedwelmend te geuren. De hemel was zuiver lijk kristal, de sterren schenen klaar in de maagdelijke verse blauwte, en laag aan de lucht hong het eerste sikkeltje van de rijpende maan.

Pallieter lag met Marieke nog door het venster hunner slaapkamer. Zij waren reeds half ontkleed om slapen te gaan, maar de goedheid van den nacht weerhield hen uit het bed.

Marieke hield haar hoofd gelegen op Pallieters schouder, en hij had zijnen arm om haar heupen.

Ze zwegen en luisterden naar een nachtegaal, die alleen in de verholenheid van een bloeienden kerseboom zijn gouden hart liet roeren. Maar daar, als niet opeens begonnen, klonk er van op het Begijnhof het diepgevoeld gestreel van een cello.

"'t Is de Pastoor,' zei Pallieter.

'Spijtig dat 't Begijnhof gesloten is,' zei Marieke.

'Wacht,' wedervoer hij verheugd, 'we zullen er mè het schuitje henegaan. Kom!'

Ze kleedden zich haastig aan en gingen in het schuitje. Langs het smalle Hemdsmouwken dreven ze het Begijnhof op.

Terwijl klonk almaar door de zoete gemoedelijke stem van den gevoeligen cello.

Stil vaarden ze, en aan 's pastoors hof, die met plantenbekleed traliewerk van het waterken gescheiden was, hielden ze stil en bleven rechtstaande in het schuitje luisteren.

De pastoor zat buiten, onder een bloeiende perelaar. In den donkeren zag men alleen zijn groten kop en zijn bleke handen. Hij speelde de diepe 'dromerij' van Schumann. Het was lijk een gebed. De pastoor bad met zijne muziek.

Als 't uit was bleef er een lange stilte. 't Was voor Pallieter zonde in deze geurige stilte zijn stem te laten spreken: maar hij liet een groten vollen zucht, de pastoor zag op en vroeg: 'Zijn er daar mense?...'

'Ikke!' zei Pallieter.

'Oe komt dan algijkes binne!' en hij kwam gauw afgelopen en opende het traliepoortje, dat slechts openging als de meid moest water scheppen. "t Was zoe goe werke,' zei de pastoor, 'en ik zit zoe mor wa te striele en te strijke; kom binne!'

"k Hem 'n ander gedacht,' zei Pallieter, 'nemt oewe cello mee oep ons schuitje en we zullen al spelend 'n toerke nor 't Hof van Ringen doen!'

'Aangenome,' zei de pastoor en hij kwam met zijn speeltuig op het schuitje. Zij vaarden terug naar de Nethe, en als de open velden rond hen lagen, begon hij weer te spelen, terwijl Pallieter riemde en Marieke roeide.

De cello sprak; 't was innig lijk een zingende mensenstem, 't klonk lijk uit de waterdiepte omhoog. 't Droeg de ijlheid van den hemel en jongheid van de lente. 't Was Beethoven, Benoit, Wagner, Palestrina en Grieg. Zo dreven ze schoon als in een droom over het water weg, en over het nachtelijke stille land wandelde de galm van de heerlijkste muziek der aarde. 't Was alsof God zijn voeten op de wereld had gezet.

DE VRUCHTBAARHEID

De schone, goede mei had voorgoed zijn glorie in de bomen gehangen, en zijn weelde neergestreken over den grond. De keizerlijke kastanjelaren, die zo veelvuldig 't Netheland begroeiden, hadden op hun groenenden berg al hunne witte bloemen opgestoken. En in de veldkapellekens brandde, ter ere van Ons Lievevrouwken, menigvuldig keersken.

Marieke was met haar moeder, die afgekomen was om als baker te dienen, en met Charlot, alle dagen naar een dier kapellekens geweest om den gunstigen afloop, en swenst groeide de vrucht rap en enorm. Maar de dagen gingen voorbij en tegen einde juni, met de nieuwe maan, kon men het verwachten.

Dien dag kwam Pallieter terug van onderwegen Duffel, waar hij bij een wagenmaker een huifwagen had gaan bestellen, waarmede hij de wereld zou intrekken als de kleine geboren was.

De junizon gloriede in de blauwe lucht en schudde haar gulden haren over de weelderige landen.

Pallieter slenterde langs de Nethe.

Ach! de schone rivier, die nu vrij en wispelturig bochtte door de vette velden en de koeienrijke weiden; die op haar dijken reuzige populieren en brede kanada's omhoogstak: die heerlijke, aangename Nethe zou nu in een koudrecht kanaal herschapen worden.

'O land! z' ontnemen oe oew kroen!' zuchtte Pallieter, 'mijn hert schriewt in mijn lijf.'

Doch uit de verte klonk herhaaldelijk blekken horengetoet.

'Da's Charlot die blaast veur 't kinderbed!' juichte Pallieter, en hij trok zijn schoenen uit, en begost te lopen zo hard hij maar kon. Het horengetoet bleef maar klinken, draaide van het oosten naar het westen, en 't wilde maar niet ophouden.

Pallieter spoedde zich des te meer. Hij vloekte omdat hij niet rapper kon; maar daar graasden twee peerden in de weide, op 'nen omzien was Pallieter op het verschrikte peerd gesprongen, en zich vasthoudend aan de manen, rende hij snel over veld en wei naar den Reinaert.

Toen Charlot Pallieter zag aankomen, liet ze den horen vallen, liep hem tegemoet en riep, bleek van alteratie: 'Bruur, Bruur, 't is 'nen drijlink! twee jongens en ien meske! Ierst kwam...' Pallieter liet haar voortbabbelen en liep, gevolgd van de meid, naar boven. Hij wierp de deur open, en daar op het bed, waarin Marieke, bleek, met traantjes in de ogen hem toelachte, lagen neveneen drie naakte, verkensroze kinderen te kraaien en te schreeuwen.

De zon door 't open venster bunselde er op en trilde lichtend in hun week vlezeken.

Pallieter stond eerst aan den grond genageld, hij kost zijn ogen niet geloven, het overweldigde hem. De moeder van Marieke en Charlot wisten geen raad, de een klaste water, de ander wierp een emmer om en krabde in heur haar.

'Zijde tevrede?' vroeg Marieke.

En toen vloeide Pallieter zijn vreugde over, hij liep naar zijn jong vrouwken, gaf haar duizend kussen, en zei: 'Abraham moet mij benije!' en dan riep hij uitgelaten tot Charlot: 'Haalt bakels, peters, wiegen en suikerboene! De drij Hemskindere zen gebore!'

'Ja, ja,' riep de verwarde Charlot en zij liep naar beneden, maar was daar seffens weerom en riep vol haast: 'Zij rap, zij rap, de Pastoer is dor! doe z'ieder algij een hemmeken aan.'

'Ni, ni,' zei de pastoor, die bovenkwam, ''k wil ze zien lak da'ze God on Pallieter hee gegeve.'

En de pastoor sloeg verwonderd zijn handen saam en hij keerde zich om tot Pallieter en zei: 'Gelukkigen druivelaar,' en dan tot Marieke: 'Meske, meske, God zied oe gere,' en drukte hun de handen, en de tranen schoten in zijn ogen.

'Doe zo voort,' zei hij.

'Da beloof ik oe!' riep Pallieter.

'Menier Pastoor,' zei Marieke verlegen en rood-wordend, 'de kinderen mutte zuige...'

'Ja, ja,' lachte de pastoor, 'doe mor, wij hemme da ni mier nodig, hé Pallieter, wij zullen er oep gon drinke.'

En terwijl zij beneden schuimwijn gingen genieten, haalde Marieke haar twee dikke, malse borsten te voorschijn, en gaf de kostelijke moedermelk aan de twee Pallieterkens, terwijl het Pallieterinneke schreeuwen bleef...

En beneden zat Pallieter met den pastoor aan de zesde fles schuimwijn te drinken, ter ere van de drie, die hij gemaakt had.

DE WERELD IN

Daar stond de witgehuifde wagen vertrekkens gereed. Bijna al de begijnen, de drie blinden, veel kwezels en de pastoor stonden er te wachten om vaarwel te zeggen aan de bewoners van den Reinaert.

Terwijl Marieke reeds op den wagen zat met haar drie kinderen, en Charlot deemoedig te luisteren stond naar de wijze raadgevingen van den pastoor, was Pallieter het paard gaan halen, dat in het beemdeken grazend was. De goede, grote Beiaard liep speels weg naar den dijk als het zijn meester zag, maar Pallieter haalde hem in en wipte zich op den breden rug. 'O Netheland, ge wilt mij verleie om te blijve, hoe schoen!' riep hij, als zijn blik over het landschap ging. Het was na de noen en het regende een trage, malse, aarzelende regen in lekken, groot lijk okkernoten. Nu en dan slechts viel er een, maar zij haalden de zoetste geuren uit den grond en uit den hof; en het hooi, dat men overal in de beemden aan 't maaien en halen was, verspreidde over heel de streek zijn aangename ziel. Merels en zoetelieven, wielewalen en vinken, kneuters en kwiksteerten deden van wellust de bomen zingen; en tussen het geklank dier verschillende rumoerige vogelekelen, floot kalm en trots de koninklijke nachtegaal.

Het was een gulden fluit, die in de bomen hong en telkenmale klonk, als er een regenlek op klopte.

Er was een zalige weldadigheid over het land, ene zoete bedwelming, die opsteeg uit alle dingen.

De hemel was warm-grijs, en blauw lagen ginder de verre verten, als fijne wierook.

'Daarachter ligt de wereld!' riep Pallieter en zodanig brandde hij naar die blauwigheid, dat hij zich spoedde om heen te kunnen gaan. 'Spring oep! We gaan!' riep Pallieter tot Charlot, die nog met haren laatsten heilige uit het huis kwam gelopen. Charlot bleef getroffen staan, het scheidingsuur verraste haar, zij bezag eens heure vriendinnen de begijnen, de kwezels en menheer pastoor, en toen schoot ze in een luiden schreeuw, en de tranen liepen over haar kaken.

'Och,' zei ze snikkend, "k had zoe gère begentje geweure, mor wa zen die drij schopkes van kindere mè zo joenk moederke lak Marieke: er mut toch iemand veur zorge, is 't ni waar?' 'Ja,' knikten er begijnen en kwezels, waarvan er ook al tranen in de ogen kregen.

'Ge kunt nog altij blijve,' riep Pallieter, die de laatste gesp van Beiaards gareel sloot.

'Och,' zei de pastoor tot Marieke, "t zal mij zo vare, zonder den Bruur te zijn,' hij schudde zijn hoofd en zuchtte.

'Kom,' troostte Marieke, 'zoe erg zal 't ni zijn, er is immers nog Fransoe.'

''t Is tijd!' juichte Pallieter tot de voortlamenterende Charlot. 'Oep de wage!' en hij sloeg den met hooi gevulden tweezak over zijn schouder.

'Wacht,' zei de pastoor ontroerd, en hij gaf aan Pallieter en Charlot een kruisken, hief zich op de tenen om aan de kinderen, die Marieke hem toestak, er ook een te geven, en als Marieke hem ook haar voorhoofd geboden had, zei hij: 'Joenk moederke, 't is t' hope da ge zoe 'nen hiele bieënkorf kinderen meugt bare. Vaarwel! God behoede elle,' en toen draaide hij zich om, en begon hardop te snikken en te wenen in zijn roden zakneusdoek.

Er kwam een aandoenlijke stilte, waarin enkel de veelvuldige snikschokskes van den pastoor en de vrouwen zich lieten horen. Pallieter zou op den duur ook aan 't wenen gaan, maar hij riep lachend: 'Wie gaat er mee?... ge kunt misschien nog mé e Chineeske trijve! Wie?...' Er werd hier en daar een lach gehoord onder de begijnen en de pastoor zei binnensmonds: 'Altij dezelfde.'

'Niemand?' vroeg Pallieter nog eens. 'Gebod dan! Charlot zal 'k mè 'ne neger doen trijve, en dan zullen heur kindere begentjes weurre, zwerte begentjes!'...

'Pallieter, Bruur, hijvd hoe!' zei de pastoor, en zij kusten malkander. 'Drinkt er e glasken oep!' riep Pallieter. 'Wel twie,' zie de pastoor. Loebas baste van ongeduld. En ginder lagen de blauwe verten en de wereld! Pallieter snakte er naar en riep: 'Dju!' spijts Charlot, die nog aan elke begijn en kwezel een hand wilde drukken.

En daar rolde de wagen voort! Een kind schreeuwde, en Marieke gaf het hare volle, blanke borst.

"'k Gon mee! 'k gon mee!' riep Charlot, ze liet de begijnen staan, en liep zo hard ze kon den voortrijdenden wagen achterna. Pallieter, die er nevens ging, hief er haar op, duwend tegen haar dik achterste, en toen stak ze van achter door de huif haar roden kop en knikte de begijnen toe, die daar bijeen te roepen stonden en met hun zakneusdoeken te waaien. De drie blinden staken hunnen stok omhoog in een verkeerde richting. De pastoor zwaaide met zijn tikkenhaan en Pallieter djakte met de luid knallende zweep, 'De wereld in!' riep hij. 'De wereld in!'

En zie! daar kwam Petrus de ooievaar uit de lucht gezegen en stapte de wagen achterna.

Pallieter schoot in een luiden lach, en wilde den vogel strelend prijzen om zijn daad, maar Petrus vloog op en zette zich van boven op den witgehuifden wagen te peinzen, met den bek in de pluimen. Loebas liep bassend vooruit.

En zo rolde de wagen over de zingende Begijnenvest en het regende lauw en langzaam...

Fransoo en zijn vrouw stonden hen af te wachten op den Molenberg. Daar hield Pallieter stil, en aan den voet van den wagen werden er nog eerst twee flessen ouden wijn gedronken.

'G' hed e schoe weer,' zei Fransoo, ''t is lak 'n zalf deze rege.' En Charlot vermaande Pallieter: 'Doed oeve frak toch aan, oe hem is al zoe nat as mest.'

'Elke lek dien er oep valt is lijk 'ne meskeskus zoe zuut,' zei Pallieter, en hij liet zijn wit hemd maar nat worden; 't was een weldaad.

'Mor wor gade nu iest oep weg?' vroeg Fransoo.

'Nor daar waar mijn klep wijst,' zei Pallieter en hij wierp zijn klak in de lucht, die terug neerviel met de klep naar zuidoost wijzend.

'Nor de zonstreek!' juichte Pallieter.

'En dan?' vroeg Fransoo.

En Pallieter riep hem zingend terug: 'Holland, Noorwege, Spanje, IJs- en Zonland, naar Javitta, drij ure bove d'hel, 't luilekkerland, 't aap- en snotland, vlakten en berge, altij achter mijne neus! Salu!' Petrus kroop in den wagen. Er werden kussen gegeven.

'Kom hier, bospad,' lachte Fransoo, en hij overlaadde de dikke, tegenwerende Charlot met honderd dikke, natte kussen

Kwaad vluchtte Charlot op den wagen, en was rood tot in heur haar van gramschap.

'Wij vere nor den Oost!' riep Pallieter, en als Marieke terug op den wagen zat, rolde het span den steenweg op, die door de beemden en velden naar het zoele zuiden kronkelde.

Er was geroep en gejuich van weerskanten, en twee minuten later stonden Fransoo en zijn vrouw in een der hoogste molenvensters de reizigers met hunnen zakdoek na te wuiven.

Ginder lagen de blauwe verten, ginder lag de wereld!

Pallieter, die nevens het span ging, met den blauwen tweezak op den schouder, was er blij van ontroerd.

Nu had hij vóór zich de oneindige wereld, die daar blij en vredig openlag, lijk een nodend paradijs.

Beemden vol maaiers, omringd van zeiselengegons, en weiden rijk aan koeien — daarover de perelgrijze lucht, die zich uitregende in dikke, langzame lekken, die de geurige ziel der aarde omhoog haalden. Hanen kraaiden.

En achter hem lag het Netheland, waar hij jaren had geleefd, dat hij bij zich droeg in al zijn overheerlijke weelde.

Hij bleef er staan naar zien en liet den wagen voort de baan oprijden. De molen sloeg zijn rode wieken boven de bomen, het Begijnhof spreidde achter de hoge vestbomen zijn vredigheid uit en verders lagen de velden en de hoeven, graasden de schapen, en wandelden de kudden ganzen; daar lag de Nethe verheven boven de velden, gekronkeld, en scheepkes schoven er op voort. Duiven vlogen in de lucht.

'Hoera, o land!' riep Pallieter, en hij nam een handvol aarde op, stak ze in zijnen zak, en zei: 'Da's heiligdoem!' en toen keerde hij zich om, zag de eeuwige Begijnenbossen, de blauwe einders, de wereld! Hij raapte een hanepluim op, stak ze op zijn klak, en uitgelaten als een kind liep hij zingend naar den witten wagen, die ginder over de baan voortwaggelde.

Wijd en ver strekte zich de wijde Nethevallei blauwig uit, onder de fijne, grijze lucht, die nu en dan een lek liet vallen. In die wereld-oneindigheid lagen mierig de huizen, plat de bossen, en klein en miniem de dorpen en de molengehuchten. Nog kleiner waren de mensen daarin gestippeld, die het bedrijvig werk des zomers volbrachten: volle hooiwagens rolden over de wegen, karren gingen en kwamen, mensen heen en weer, en op de Nethe, die door dit welige land slierde in grote luie bochten naar den blauwen horizon, schenen de schepen stil te staan, en een zwart treintje kroop met een weelderige, witte rookpluim achteraan, traag vooruit. Heel dat land hief zijn gouden geur als wierook in de lucht. En al ineens stootte de zon uit 't westen enorme, melkbleke lichtbalken door de lucht en over de aarde, dorpen blonken, molentjes draaiden in helderheid, en over heel die heerlijke, feestende wereld spande alsdan, als een nooit geziene schoonheid, een klare, brede regenboog zich uit.

De wereld jubelde!...

En zie! ginder, heel, héél ver, een witte stip, langs den kant waar het zuiden openklaarde, reed de witte huifwagen de reuzenboging onderdoor.

Alzo vertrok Pallieter, de dagenmelker, uit het Netheland, en ging de wijde, schone wereld in, lijk de vogels en de wind.

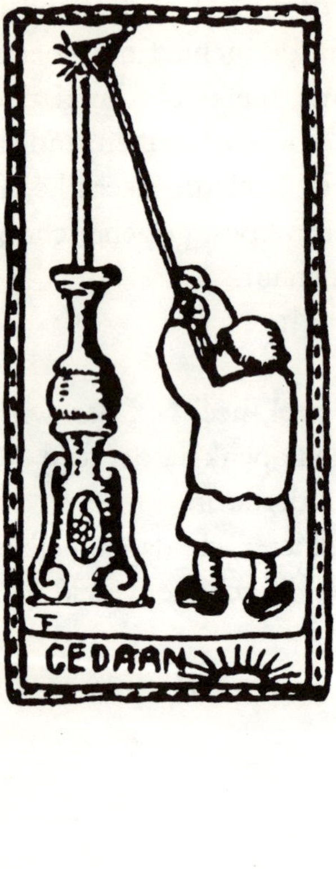
GEDAAN

Beste Mejuffrouw Lyra,

Ge hebt mij gevraagd waar Pallieter naar toe is; Gij hebt het mij al dikwijls gevraagd. Gij zijt de eenige niet. Ja, waar is Pallieter naar toe? Ik weet er niets van. Hij is de wereld in, de wijde wereld in, lijk de vogelen en de wind. De wind waait waar hij wil en de wereld is zoo groot en zoo rond.

Waarlijk, ik weet niet waar Pallieter is. Ik heb het mij ook nooit afgevraagd. En hij heeft mij nooit een brief geschreven.

Maar als hij terugkomt, zal ik hem met open armen ontvangen. De flesschen staan gereed, nog dubbele gersten van voor den oorlog.

Een ding weet ik en dat is mij genoeg: Pallieter heeft een handsvol aarde van onze Nethestreek meegenomen, van die streek die hij zoo lief heeft, en die ons allemaal ook zoo aan 't harte ligt.

Met die handsvol aarde, een deeltje van onzen grond bij zich, blijft hij in den geest bij ons. Zijn herinneringen zullen dikwijls naar de Liersche Vlaaienstad, naar 't Begijnhof, naar de Nethe draaien. In mijn gedacht zie ik hem daar al ergens een pijp zitten smoren, onder een palmboom bij de Mooren, misschien in een sneeuwhut bij de Laplanders, of daar ergens in China, of in Peru, of waar ge wilt. En in die pijpesmoor die uit zijn pijp kronkelt ziet hij al droomend de goede Menheer Pastoor van het Begijnhof, zijn dikke vriend Fransoo en zoo menigen ander mensch uit 't Schapenkoppenland. En misschien denkt hij ook al eens aan mij en ieder van U. Dan zal hij wellicht eens met duim en wijsvinger dat beetje grond beroeren dat hij van hier meegenomen heeft. Ja, ja, ik ben er zeker van, dat er dan in zijn hart wel een tikje heimwee naar ons land zal opfleuren en ik hoor hem al zeggen: verdorie het was er toch goed en schoon!

Maar 't leven is nu eenmaal zoo, alles verandert. En moest hij weerkomen (maar 'k geloof het niet) hij zou nog al eens verschieten! want er is hier zooveel veranderd! Ik moet het niet zeggen, ge weet het allemaal. Of het beter of slechter is?... Elke tijd heeft zijn eigen zin – maar menschen blijven toch altijd menschen.

Laten we er onzen kop niet mee breken. Alles heeft toch zijnen goeden kant. En zoolang de zon er nog is en er Lente komt met bloemen, Zomer met koren, Herfst met vruchten en Winter met inkeer naar binnen, is er nog genoeg om van alles de 'sijs af te lakke'!

Er blijft nog altijd te Pallieteren.

FELIX TIMMERMANS